蘇明進

老ㄠˇ老師的同理心身教

蘇明進 著

目錄

Part 2

同理心啟動學習動機

Part 3

同理心滋養心靈土壤

日常陪伴

成長蛻變

推薦序

啟動同理心，掌握人生快樂與成功的關鍵

實驗教育無界塾、線上學習平台PaGamO創辦人　**葉丙成**

我在台大開的簡報課，很有幸的，每年都有許多很優秀、很有想法的學生來修課。這些學生往往以為我的課的目的，就是要把他們的簡報表達技巧提升到更高的層次。其實他們並不知道，我的課有一個大秘密。而這大秘密，我總是在每年最後一堂課給他們的最後一段話，才說給他們知道。每年我都跟學生說：

「你們以為哥教你們的是簡報；其實，哥教的，不是簡報。」

我跟他們說，其實整學期的課程、作業、訓練、活動，都是要藉由簡報，來訓練大家的同理心與換位思考。我們真正的目的，是要透過簡報訓練，來幫同學建立能「從別人的角度看自己東西」的能力。為什麼要這麼做？因為大家常以為同理心

不過是個美德，但我一直認為同理心不只是美德，更是人生快樂與成功的關鍵。

為什麼養成下一代的同理心如此重要？

因為一個思考非常以自我為中心的人，是不會有人喜歡跟他相處的，他的人生很難快樂；因為一個沒有辦法掌握別人如何看待自己工作、產品、服務的人，他的工作很難被肯定；因為一個不能想到或理解別人需求的人，是無法提出動人點子的，他的事業很難成功。

在我們過去的家庭教育與被升學主義影響的學校教育，往往孩子們被設定的職責，就是把試考好、把眼前的那本書讀好就好，其他事情都不要管。以至於有許多人在長大的過程中，逐漸變成一個對人無感的人。他們觀察別人的能力很弱，無法了解別人的想法，也無法看到別人的需求。這也導致他們無法客觀掌握評估別人對自己東西的評價。用白話文來說：就是「自我感覺良好」。這些沒有同理心、對人無感的孩子，即便一時考試升學順風順水，長大後其實在人生跟職涯發展都會過得很辛苦。

如果同理心如此重要，我們到底該怎麼做、如何有系統的做，才能教會我們的學生、孩子有這樣的能力呢？這其實不是容易的事情，因為在過去，從來沒有人訓練我們如何成為一個有同理心的大人、家長、老師。作為一個成人，我們許多人自己都不見得有同理心了，更不要說成為可以教孩子同理心的大人。

到底有沒有什麼法門，可以讓我們可以養成自己的同理心，進而能引導孩子、學生啟動同理心？

我的好友蘇明進（老蘇）老師在暢銷書《交心》出版數年之後，終於又有新作《老蘇老師的同理心身教》問世！我認為這本書，正是想幫孩子培養同理心的爸媽、老師都該讀的好書！在書裡，老蘇有系統的教我們如何啟動孩子的同理心：覺察自身情緒、同理他人情緒、同理他人認知、同理他人請求、化為具體行動。只要依循著這五步驟，就可以讓孩子開始啟動同理心。但問題是，實務上我們該如何引導孩子呢？

這本書最珍貴的，就是老蘇以過去幾年班上的大小事件作為實際案例；透過這些故事來讓大家看到，一個老師能怎麼引導孩子做這五步驟，進而看到孩子們許多讓人感動的反思跟行動。最棒的是，老蘇的做法是所有老師都可以很容易在自己班上複製的。如果一直以來，你覺得自己班上的孩子很自我、很自私、很自以為是，你很苦惱卻又不知道可以怎麼改變他們？老蘇這本書將會是你最好的幫手！

不僅如此，老蘇書中也有許多他跟女兒小蘇的生活故事。這些故事讓大家看到，原來親子間是可以這樣子對話的！也讓我們意識到，原來我們生小孩氣，往往都是源於對孩子的關心、源於愛。但只因為我們焦急，在孩子面前展現出來，卻都是責難與負面的詞語。老蘇的故事讓我們看到，他是如何在大大小小的生活狀況中覺察自己的情緒、進而同理孩子，最後讓孩子也能理解爸爸所要關心的事。你會深深地感受到：原來在柴米油鹽醬醋茶中，只要有愛與同理，親子關係可以是這麼美、這麼讓人感動！

我真心認為，《老蘇老師的同理心身教》是每一位家長、老師都值得花時間好好細讀的一本好書，不僅能幫助你成為更好的家長、老師，讓你更有信心，把孩子帶成真正有同理心的人。

但或許更重要的收穫是，這本書也會幫助你找到更好的自己：一個真正有同理心的好人。

推薦序

期待好久的一道光

溫老師備課Party創始人 **溫美玉**

我和老ㄙㄨ最是互補，亦是彼此人生想像的鏡射。因此，雖不常見，我們及他的指揮大大夫人宜真，一坐下話題永不停歇。不滿足驚鴻一瞥相聚，總催促他快點成書，不僅私心想聚焦學習，也為眾人請願。

人前看似靦腆的老ㄙㄨ，密不透風的意識之牆內，有著一扇明亮的窗，這本書就是那個出口、那道光。這道光折射出一幕幕真實縮影，他筆下描繪的教室和家庭場景、與孩子們的鮮活對話，彷彿電影般似近忽遠的事件糾結，老ㄙㄨ成功詮釋教室運作，同時解析與聆聽了身旁無助者的每個片刻。

從同理心故事開始，牽動思考：想讓班級有愛，不是教孩子如何有愛？反求諸己「老師先整頓自己的情緒」開始，接著「同理、引導、幫助」孩子成長。重新思考事件意義，也引領孩子的內在情緒，讓孩子當情緒的主人，而非被情緒操控。

然而，面對根除問題基底，解決表面就像春風吹又生的野草，孩子內心依然存在長不完的刺。老ㄙㄨ則會帶孩子透過書寫，由內而外爬梳事情經過與內心起伏跌宕。我們都是同路人，當初「五卡板」的發想正是為引導孩子，由自我出發去看發生什麼事？為什麼我會這麼做？內心的情緒魔鬼怎麼了？又該如何去彌補自己對他人造成的傷害？

揉織細膩的心理課程銜接未來職場，老ㄙㄨ教孩子「聊天力」。孩子不只要說明白還要聊出好心情，這特有的魅力課程，彷彿花香飄散在教室各個角落，教學不只是限制，有時反向操作，把反作用力變成動力，少些限制多些擁有，教室就是天堂。

當氣氛走向美好，身為教師、家長的我們就得重新思考，什麼環節能讓美好延續？這不僅是為孩子的健康成長考量，更是引導成人，如何逐步看清職場價值，以及個人生命的真相。老ㄙㄨ在「同理心能擁有幸福人際」提及，教育孩子同理他人，我們也應當給予適當讚美，以正向語言傳達愛與擔憂。我能想像充滿愛的流動時光，不管是還孩子抑或成人散發出的善意與燦爛的光，這一段人際互動如同盛典，只有在這樣的人群中，這樣的場景之下，我們才能真正的認識自己。

果然是老ㄙㄨ，展現了強大的視角與書寫能力，書裡有同一時空親師生相互碰撞的尷尬與不安；有每個獨特個體精彩紛呈的心理群象；有一個永遠不安於現狀，擅長解構自我，自我解嘲，並不斷打破常規的教育工作者的熱情。老ㄙㄨ教室裡的經典故事，也同時引燃我身為老師與為人母的感受，教室「內在情緒」的引導、家庭「親子陪伴」的重要，感謝老ㄙㄨ讓我重新經歷育兒歷程，與教室裡曾有的風景歷歷。

擁抱曾經內心的暗夜，再次學習接納不完美的自己，真好！

推薦序

在同理心中，看見彼此、攜手幸福

作家、原斗國小老師　林怡辰

許久沒有看見老ㄙㄨ的文字，在他接任新的班級、留職停薪、研讀博士之後，只有斷斷續續的在臉書上，偶爾才讀到一點短文，而長文，很久沒有看見了。

從初任教師以來，老ㄙㄨ的文字一直是我的精神食糧，在偏鄉任教的我，遇到教學上的挫折和困難，常常一籌莫展，不想放手但又不被了解，那時，一直是老ㄙㄨ的文字陪伴我，從這些點滴溫暖的符號中，我慢慢發現，原來不管任教幾年的老師，還是會遇到困難；原來不管是否出過書籍的老師，依舊在心裡有很多掙扎；原來在台上誠懇分享經驗的老ㄙㄨ，過往的人生經驗、在每個方格裡不斷希望給予溫暖的心，一直都是這樣熾熱。

那我，我可以做些什麼？因此，二〇〇七年我開始學著老ㄙㄨ開設部落格，寫下我的教學點滴，為了是看見自己的教學，從中思考下一次我怎麼可以在過去的基礎上，帶給孩子更多，就這樣，寫著寫著。沒想到，因為認識老ㄙㄨ，也開啟了我在教學上的其他風景，至今仍深深的感激著。

好久不見老ㄙㄨ的文字，細細讀來，橫跨許多不同的時間軸線卻不覺得突兀，在這本以「同理心」為主題的書籍中，我看見更溫潤厚實的能量。教師面對的挑戰愈來愈多，用心給愛的，沒有不受傷的。尤其愈認真的老師，傷和自責愈重。

但在老ㄙㄨ的書裡，看不見這樣、這樣做就可以天下太平，從此無事，也看不見雞湯式的好大喜功和功績彪炳。細細讀來，只有讀到一位師者的心，不放棄的思考怎麼堅持不放手的拉著每個孩子，還有那過程中的點滴策略，對自己的喊話覺察和自省，欣賞轉念和撫慰。

讀著讀著，我也暖心療癒了自己。太忙、太快、太多問題，全擠在一個班級、同個時間軸裡，教室裡的課表只有一種，孩子個性家庭卻完全不同，到底要怎麼好好帶好每一個孩子？家長的期待、自己的期待、孩子自己的期待、學校的期待？未來，到底是誰的未來，又有誰知道未來？

火山爆發情緒的孩子、和老師對嗆的孩子、不交作業的孩子、家庭裡有好多故事的孩子、被排擠的孩子、總是在小團體裡你爭我奪的孩子……在故事的脈絡裡，在長長的對話中，省思、看見大人自己的情緒，ㄙㄨ式文字有著滿滿的平靜、不捨、看見與方法，還有當家長困難的點點滴滴，也在老ㄙㄨ和小ㄙㄨ姑娘的故事中，看見似曾相似的困境和情節。

最後在書裡，你都可以在上面的困境後，找到真摯的文字，帶著你，好好把握每一個和孩子相遇的當下，看見自己的情緒和孩子的情緒，用文字覺察，用同理心對孩子，讓孩子有餘裕用同理心去看見周遭的人，創造出新的空間和覺察，我們可以平靜當下，珍惜每一個相遇的緣分，走一趟和小狐狸們交心的旅程。

真摯推薦給您！

推薦序

讓你愈貼近孩子的心

親子作家　小雨麻

「妳和男朋友會吵架嗎？」婚前，親戚懷著好奇跟我打探八卦。

「我不覺得我們會吵架，我們都經過建築表達訓練，當意見不同的時候，就看誰說服誰。他說服我，我便接受他的建議。我說服他，他就接受我的提案。」

閱讀《老蘇老師的同理心身教》一書，我在筆記本上振筆疾書，記下許多有益的吉光片羽，也想起了這段往事。

面對班上將近三十位來自不同家庭與環境的孩子，老師的工作一點也不輕鬆，猶有更難處，在於老ㄙㄨ老師不願意放棄任何一位孩子，總是盡其所能貼近孩子的心。這麼困難的任務到底如何辦到？答案不是「情緒勒索」或「威權威脅」，而是

「同理心」。

接受傳統儒家思想教育如我一輩，帶著師承自上一代的慣性，稍不留意，就會在教養上拿出以大壓小、以強壓弱的姿態。站在孩子高度的老ㄙㄨ老師察覺雷達靈敏，不但經常提醒自己，也以此提醒孩子：「我們可以同理彼此，我們可以說理討論、互相說服。」這是多麼令人嚮往的教養境界！

在解決衝突的後頭，理性抽絲剝繭，覺察與分析彼此情緒，挖出藏在防衛冰山下的憤怒、害怕、擔心等，找出正向語言，同理他人情緒、認知、需求，最後再化為具體行動。老ㄙㄨ老師毫不藏私，大方分享多年的教學經驗與引導策略，諸如：開設聊天課，教予聊天技巧，化解班上孩子歧見。建議衝突母女倆，互相寫出對方十個優點。利用家事卡，鼓勵孩子從不起眼的生活小事著手，培養主動積極的能力。利用情緒語詞列表，幫助孩子還原衝突經過，指認情緒、換位思考、以正向語言說出愛與擔憂。在事件過後，待情緒穩定，再來找機會深入溝通。

除了具體的教學引導策略技巧，書中也提出對當下教學環境的省思。其中「孩子的分數＝教養成績單？」最引起我共鳴。在學校層級，錄取多少位滿級分學生，是學校的成績單；在班級層級，班上平均分數，是老師的教學成績單；孩子的分數，又是家長的成績單。教育現場善於用一百分來箝制，生產出良率高的考試罐頭；用排名與分數級距來箝制，培養出具競爭意識的小武士；用分數綁架考試，再用考試綁架教學，如果整個社會對此無法鬆動，我們的教改就只是紙上談兵。

回到文章一開始的吵架課題，發生衝突正是因為雙方都不夠坦承，只看到冰山一角，而沒看到自己和對方潛藏於冰山下的深度傷痛。唯有察覺它、指認它、同理彼此，方能化解衝突。於伴侶間如是，於親師間如是，於家人間、親子間亦然。我們都深愛對方，沒有道理視而不見彼此的傷。

動怒容易，察覺難。直接命令容易，曉之以理、動之以情難。面對快速變動的新世界與新環境，我們都需要擁有大智慧才能帶著孩子走在正向的道路上。老ㄙㄨ老師分享諸多教育與溝通法寶，那不只是資深教師的教學寶典，也是家長的重要資產，家長能掌握愈多元的教育良方，就愈能貼近孩子的心、教好自己的孩子。

推薦序

平凡又不平凡的守護

MBPS正念教養系統創建者 林麗玲

隨著閱讀一篇篇蘇老師娓娓道來的親子、師生故事，雖然與蘇老師未曾謀面，卻有一種「所有相遇都是久別重逢」的感動。即使我們在不同的場域工作，但有著相似的理念和價值觀。

感動的同時，我腦中也浮出三十幾年來從事兒少、家庭臨床工作，那些在會談室、遊戲治療室、成長團體室、正念兒少成長營、正念教養工作坊等等的畫面。其中，無論是孩子或大人，每個人都在「關係」中有著不同的糾結和苦痛。這些關係包括與自己的情緒、念頭、行為和身體的關係；與人的關係，即：父母、手足、朋友、伴侶、同事、長輩等等；又或者與其環境事物的關係，如：學習、興趣、生活、生涯、工作等等。

過程中，陪伴當事人疏通糾結和苦痛的時程有長有短，方式也因人而異。但共同的是，往往開始透出解題曙光時，就是當事者願意與關係方「同在」的那一刻！

為什麼「同在」有這樣的魔力呢？因為，和自己同在，可以如實覺察自己身心所有現象，不推開、不壓抑、不死抓所有出現的身心樣 ，從而學習慈愛當下的自己；和對方同在，可以傳送出善意，開始打開對話和了解彼此的空間；和困難事件同在，可以好好看看困難的各個面向，從中找到此刻可做的小小行動。

然而，又是什麼讓當事者，不管是孩子或大人，願意先放下一直「我的」、「我想」、「我不要」、「是你的錯」、「是你要改變」等等的執著，能抬起頭看見其它可能，有能量看見不同的角度呢？是當一個人真實體驗與感受到，有人願意無條件的與我同在！

「世間最大的奇蹟，莫過於我們能夠透過彼此的眼睛看世界，哪怕只有一瞬間。」——梭羅是的，為了烘焙出這個能從對方的眼睛看待世界的「瞬間」，提供與營造同在的氣氛和環境，是我臨床工作與教學中很核心的配方。因為我深知，唯有真實體驗過這樣的同在，才能滋養這個人，培育出同理他人的眼睛、耳朵、口語和行動。不管他是孩子或是大人！這也是蘇老師在班級經營管理中想要烘焙的氛圍。

雖然他說：「身為一位平凡的國小老師，我能做的就只有守護這小小教室！」但我要說，蘇老師正在澆灌孩子內心中「梭羅奇蹟」種子發芽，這是多麼平凡又不平凡的守護啊！

老師和父母（教養者）是孩子接觸世界很重要的引路者，是生命影響生命的角色。書中的每一篇文章，充滿老師對學生、家長對孩子的細膩引導與對話。如果你是老師，相信可以從中看見和學習如何把同理力融入班級管理的策略和行動方案與示範。如果你是父母，相信你會從中得到共感和各式教養問題方法的啟發。

最後我想說，能當老ㄙㄨ的學生和孩子是幸運的，因為我看見一位非常有理念且溫暖的老師和父親，真的努力善用自己的生命經驗在影響另一個生命。這份從心深處的連結，正一步一步澆灌孩子長出邁向幸福的同理力！

前言

以同理心為核心的成長氛圍

「老師，我的幾個筆芯盒，被小力灌入熱熔膠。」小鈞來告狀，滿臉委屈。

「交給我來處理。」

我轉身就把小力找來，當我將被破壞的筆芯盒放到桌上時，小力一臉緊張。

我問：「這是你弄的嗎？」

小力點點頭。通常孩子有這樣的反應時，代表他知道做錯了，事情就較為容易解決。

我又問：「你在做這件事時，是生氣？還是覺得有趣、很好玩？」

小力回答：「我覺得好玩。」

從覺察情緒開始，是與孩子對話時很好的切入點。不過此時小力處於自責狀態，我想帶著小力更正向的同理他人的情緒與感受。

我說：「你有看到小鈞一臉氣呼呼的表情嗎？」

小力「嗯」的一聲，我又問：「假設你的筆芯盒被灌入熱熔膠，你會覺得如何？」

小力想了想，說：「我會很生氣。」

「是囉！有時你覺得好玩，別人並不會覺得好玩，反而會很生氣。」

「你看一下小鈞的表情，他一早來學校本來是開心的模樣，但因為你，此刻他的心情極度不舒服。你可以去讓他的心情舒服一些嗎？」

小力點點頭，隨即走到小鈞面前，向他道歉，請求他的原諒。又過了一陣子，小力來回報進度：「老師，我處理好了，小鈞說他心裡舒服了。」

「真的嗎？」我再三確認，小力表示小鈞已經向他說了好幾次「我心裡舒服了」。

我帶著小力釐清「好朋友之間的捉弄」並不等同於「可以破壞他人物品」，小力再三保證不會有下次了。

下課時，望見兩位男孩又嘻嘻哈哈玩成一團。前後不到五分鐘，一場鬧劇就此落幕。同理心策略運用在處理班級紛爭上，從來沒有讓我失望。

從同理心重新出發

寫完前一本書《交心》，我對於書中一些未能好好闡述的章節有些遺憾，尤其是「同理心」這項能力。

「您覺得教孩子同理心是重要的嗎？」每當我在研習會場詢問這個問題，幾乎所有老師都舉起了手。

然而當我再進一步追問：「那麼，您是如何教孩子學習同理心呢？」與會老師個個面面相覷，靜默無聲。

的確，身處教育第一線的我們，總覺得現代孩子和以往不太一樣，似乎較以自我為中心。

同理心，是現今社會愈來愈被重視的能力。或許是我們感受到，現在孩子普遍欠缺同理他人的習慣，抑或是，我們相信同理心會是孩子行為偏差的解方。若能提早關注於此，孩子就能因為同理他人感受，對事件有較全面的思考層面，因而產生截然不同的結果。

有趣的是，我們都覺得同理心很重要，但要如何教孩子同理心？同理心要如何運作？這方面的教學策略倒是十分欠缺。

一般的做法，我們會請孩子對他人進行「換位思考」。然而這也不是一件容易的事，連大人都不見得願意站在他人立場思考事情了，又如何要求孩子放下個人情緒，去同理他人呢？

為此，我翻閱市面上各類書籍及學術研究文獻，各家學派並無統一的界定與理論架構。然而，這些理論共同指出，同理心不只是簡單的換位思考，而是必須從多面向著手：同理他人的情緒、同理他人的認知、同理他人的需求。

再回到班上，面對孩子們每天層出不窮的狀況時，我發現以往不容易解決的紛爭、較為固著的生活習慣，或是孩子在事件爆發時高張的情緒，都能在同理心的脈絡裡，變得較為鬆動而有更多可能性，甚至有時會有出乎意料的發展。

啟動同理心五步驟

我嘗試在班上融入同理心策略，多年下來，倒也摸索出一套適用於班級經營的同理心模式：

1. 覺察自身情緒

在情緒的當下，孩子往往難以跳脫自身的思維慣性。讓孩子覺察自己的情緒，說一說自己此刻的情緒由來，慢慢讓掌管理性的前額葉開始運作。孩子覺得情緒被好好接納、同理了，才不會過於武裝自己，進而願意開始同理他人。

2. 同理他人情緒

觀察他人的情緒，說一說他人正處於何種情緒之中。情緒是外顯的表徵，從情緒話題切入，孩子比較容易觀察並說出他人的反應，並與他人的情緒同步。

3. 同理他人認知

「同理心」和「同情心」最大的差異，在於同理心不只是同情他人，而是要深入他人頭腦，去思考此時他在想什麼。

例如：當孩子看到街上的遊民時，他往往會覺得「他很可憐」。但我們進一步追問「他在想什麼」時，孩子可能會說出「他現在覺得很冷、很餓，希望有飯吃」的想法。這就是從同理他人的情緒，再進一步擴大到同理他人的認知。

4. 同理他人需求

因此，若我們再繼續追問「那他現在需要什麼」時，孩子可能會歸納出「他希望路人不要用鄙夷的眼神看他」以及「他希望經過的好心人能帶給他一些吃的」……這類的思考結論。

5. 化為具體行動

我們最終希望孩子能在同理他人的歷程中，形成改變的行動力。因此，讓孩子在同理他人需求後，化為可落實的具體行動是必須的。在前面所舉的遊民話題中，孩子若能起而行給予一些幫助，例如資助零錢、飲用水、保暖衣物等，孩子的心性就會更加柔軟與善良。

孩子在家中面對手足的紛爭、與父母的爭辯亦是如此，若能帶著孩子走完同理心策略：同理他人情緒、認知、需求，並以他人立場做出具體行動，很多衝突將立即得到抒解與調整，彼此的關係也能更為圓滿。

需有同理心環境的滋養

孩子之所以沒有同理心，抑或是我們覺得同理心如此難教，主要原因是來自孩子並沒有在具同理心的環境中，感受到被同理、被接納的溫暖。

教室裡那些憤怒咆哮的小火山，不就是在家中被憤怒指責的無助孩子？那些對班級事務冷漠的孩子，在家中何嘗不是得以冷漠來保護自己的心不受到傷害？

那些會嘲笑弱勢同學、言語攻擊他人的孩子，其實內心自卑的不得了。他們的自卑，來自於長久以來的被忽視與被比較，沒有大人願意好好賞識、肯定他們。

因此，當我們希望孩子有同理心，得捫心自問：我們自己是一位有同理心的大人嗎？

面對孩子的不理性、不配合的態度時，我們是否願意先啟動同理心，而不是先啟動指責的姿態呢？

這些年來，愈在班上實施同理心課程，就愈讓我在面對孩子時保持柔軟。也許是因為慢慢內化成的習慣，也許是，我也想安安穩穩接下自己的情緒。

因此，看著那每天不寫作業的孩子，心疼他被放生、被忽視的情緒，多於想處罰他的念頭；面對每天亂發脾氣、對我飆髒話的孩子，氣歸氣，我還是想了解那渾身是刺的背後，有多麼的遍體鱗傷；還有那些怎麼也學不會的孩子，我想起了自己求學時期的無助、抗拒與逃避，轉念一想，怎麼樣也要拉著他們不放手！

是同理心的溫暖力量，帶來改變的契機。這些年來，同理心確實改變了我的思維模式，我不再以「我」這個單一角度來詮釋事件，而是試著先放下我執，看到對方的需求，以尋求更多圓滿的可能。

這也是這本《老蘇老師的同理心身教》的最初發想，我想邀請大家一起成為富有同理心的大人，透過同理心與孩子的心靈同步，理解孩子所遇到的困境，真真實實的接住他們。

這本書同時收錄不少篇關於我與小蘇姑娘的成長故事。多年來帶領學生的教學經驗，讓我能用更多元的視角，傾聽並同理自己孩子的情緒、認知、需求、並且陪著她一起落實於生活之中。而這樣的陪伴旅程，讓我覺察到自己的狀態，在面對自己、孩子與學生時，能夠成為一位更真實、更一致性，且溫柔而堅定的大人。

我們一起用身教來示範——同理心為世界創造更多善意與溫暖的流動，也為自己帶來更大的幸福感！

Part 1

同理心擁有幸福人際

每一次與人接觸，
都是一種關係的連結與建立。
因為先啟動了同理心，
讓我們體察他人的心意與需求；
也透過為他人付出、感受他人的快樂，
心底真正湧出幸福感。

早些年在演講時，我會用極大篇幅談論「反思力」。我相信、也看到當孩子擁有自省能力時，就能以智慧解決事情，有勇氣面對困境。

但這幾年，我遇到一些相當獨特的孩子，要教會他們反思力並不容易，因為他們常用「我」的單一面向來觀看世界，導致紛爭不斷，我也難以有效緩解他們表層的行為狀況。

因此我發現，現代孩子欠缺多元的視角，需要用「同理心」來協助「反思力」；教孩子體察他人的處境與心意，有助於解決彼此的衝突。

多年前，一位年輕老師在研習會舉手發問：「假如孩子不願寫反省單，那該怎麼辦？」我覺得當時回答得並不好，多年後再思考這個問題，我會告訴他：「那就用同理心，帶著孩子重新思考事情的本質吧！」

這些年在教室實施不少同理心課程，我發現當孩子遇到衝突、不願卸下防備的情緒時，只要帶著他走過一趟他人的情緒，問一句「請問別人在想什麼」？不少孩子淚如雨下，直說抱歉，包含那些撕裂、難堪的極大衝突，也能輕巧的化解開來。

同理心，是教孩子換位思考他人的想法。不管在「多元智能」裡的「人際智能」，或是「設計思考」裡的「同理」，抑或是「一〇八課綱」裡的「溝通互動」，都日益凸顯同理心的價值與重要性。

另外，舉凡合作、禮貌、公德心、孝順……這些我們想傳達給孩子的品德，也是因為先啟動了同理心，才讓我們能體察他人的心意與需求，變成一位更溫暖的人。教導孩子同理心，也同樣用同理心來傾聽孩子的心聲，如此，他才能真正擁有幸福的人際。

校園現場

學習換位思考

老師的同理心，開啟公平的班級

一早到學校，孩子們就來報告上星期五放學前，在科任課發生的事情。

起因是小柏當天生日，爸媽為他準備全班分量的消暑冰品。分發冰品前，小柏突然冒出一句：「我不想請小雯吃冰。」因為他曾經被擔任學校導護生的小雯登記服儀不整。

總是說話未經思考的阿翰，聽見就對全班大聲嚷嚷：「小柏說他不想請小雯吃冰，所以小雯你不可以拿！」

小雯有些愣住，當下顯得不知所措，或許是被當眾羞辱太難堪，她難過得哭了，哭了一整節課還無法止住眼淚。

雖然當天科任老師有即時處理，但因為即將放學，未能有更充裕的時間進行後續的輔導。

聽聞此事，我不禁皺了眉頭。我把他們兩人喚來，小柏說：「是阿翰說的，小雯才哭的。我雖然內心不太願意，但最後還是會請她吃冰。」

阿翰說：「小柏他跟我說，我就幫他講出來而已，結果小雯就哭了。」

孩子總是這樣，事情發生後，只從自己的角度說得避重就輕，並且一副輕描淡寫、事不關己的模樣。

我問：「我想請你們聚焦在自己身上，請告訴我，在這件事情中自己哪裡沒做好？」

阿翰搶著說：「我錯在當小柏告訴我，我就當著大家的面直接講出來了。」

小柏說：「我自己沒有把衣服紮好，小雯只是做她的工作而已。我不能因為她登記我的學號，而不請她吃冰。」

兩位孩子急著想認錯，確實也發現自己的問題。但是，總覺得在這些話語中，少了同理他人感受的溫度。也因此，此類傷人、刺耳的言語，在班上一直層出不窮的出現。

我交代給他們一個任務：「請你把自己想像成小雯，寫下你為什麼哭？為何哭那麼久還停不下來的原因。」

兩位孩子回到座位安靜書寫，寫了好一陣子才完成。阿翰和小柏都寫道：「如果我是小雯，我會很難過，也會生氣。我只是做該做的事，結果還被討厭……而且還是當著全班同學的面前這麼說，真的讓人很想哭。」

我說：「那麼你們有沒有想過，是什麼原因讓小雯哭了那麼久仍停不下來呢？你們不妨往她的家庭背景來思考。」

全班孩子都清楚，小雯來自一個辛苦的家庭。從小父母離異，各自離家，全家只剩大伯和祖母以打零工維持生計。前陣子父親車禍去世，家裡的經濟更是雪上加霜。小雯平時在班上內向而謹慎，是一位會安靜把自己分內事情做好的好學生。

經我提醒後，阿翰和小柏又補上一段文字：「我想小雯心裡一定想著：為什麼其他人都能拿到冰品，唯獨我沒有？這讓我很想哭。家裡對我的關心已經很少了，來學校又被同學這樣對待，我真的好難過……」

用親身經驗引導孩子同理

讀完他們的反思文字後，我對小柏和阿翰說了一個故事：

「老師來自一個家境不是很富裕的家庭，爸媽都在工廠裡當作業員，每月賺取微薄薪水養活一家人，有時候還會因為家中負債，必須借錢來繳學費。小時候我沒有零用錢或玩具，也沒有閒錢能買自己想要的東西。

我從小就是一個很認命的孩子，看到同學拿著很高級的文具或玩具時，我連流露出羨慕的眼神都不敢。因為我知道家裡過得很辛苦，不想加重父母的負擔。

只是班上有幾位公子哥，總是會帶許多昂貴的玩具來學校炫耀，他們會頤指氣使的針對某些人說：『你不要碰我的東西，你走開。』甚至在交換禮物時，他看到我抽中他的禮物，竟然對我說：『你帶的禮物那麼爛，我的禮物很貴耶，我要拿回我的禮物。』

小時候的我，很認真、也很認命的過生活，我唯一能做的，就是努力求學，來把自己的人生過好。自尊是我僅有的支撐力量，我討厭摧毀我自尊的人。

小雯也是。她可以不用拿你們的東西，那麼她就不會受傷了。但是你們那種『我不太想給你、我是被迫給你』的態度，深深傷害了她的自尊心。

她辛苦的家境，不是享有爸媽全部的愛的你們所能想像的。她一直很努力的過日子，所以請不要這樣對她。自尊心是某些人僅存用來保護自己的方式，你們無心的話語，可能會摧毀別人好不容易建立起來的自尊⋯⋯。」

話還沒說完，我已經紅了眼眶，罵了句：「可惡，你們讓我哭了。」急忙把他們趕回教室去，一個人待在走廊邊擦著止不住的淚水。

我鮮少在學生面前如此，因為這件事情對應到過去的回憶。

寫完《交心》這本書後，我發現：為何自己會成為別人眼中「比較有同理心、能從學生角度來思考」的老師，或許正與那些小時候的傷痛有關。

因為雙腿有「青蛙肢」的缺陷，因為曾遭受被嘲笑、排擠的對待，因為來自經濟不佳的家庭，我發誓不要再有弱勢孩子受到傷害。我極力維持教室內的公平，希望弱勢孩子得到更好的照顧；我也竭盡所能的將排擠、傷害、嘲弄、自大、自負等行為，全都排除在我的教室外。

早些年，我的確會對於孩子們這類行為感到生氣。但隨著教書愈多年，我更清楚體認到：老師的同理心，是維持教室裡的公平的關鍵。

孩子或許不會因為老師的憤怒情緒，而改變固著行為；教室裡的公平，或許不會因為老師的強力介入而維持。那些傷人話語、排擠他人的行為，或許仍會在大人看不到的地方反覆出現。但是可以的話，請先同理孩子發生這些行為的背後原因。

同理他們也是孤單、憤怒的孩子，同理他們的爸媽也是用心良苦教導孩子，但始終不得其門而入。也許換個孩子能懂的語彙、能接受的方式，孩子的心境就會柔軟許多。

協助孩子彌補錯誤

我整理好情緒，再回到班上，看到兩位男孩臉上有著深深的歉意。

我請他們各寫了一張小卡片給小雯，兩人誠懇的走到小雯面前，大聲說了聲：「對不起。」小雯接到卡片時又驚又喜。

小柏說：「對不起，那天害你哭了。我不能因為你登記我而不請你吃冰，你是我們班上的一分子，為我們班上付出許多。希望你能原諒我們兩人，以後不會再發生這種事了！」

阿翰也寫著：「小雯，你心情好一點了嗎？星期五真的很不好意思，我沒有想到你的感受，就當眾把話講出來，對不起！」

看著眼前這一幕，我的內心激動莫名。傷害需要在當下進行和解，認真走過一回，這些衝突就會是上天所賜予最珍貴的禮物。

當天，小雯也在短文簿裡回應此事：「星期五我哭了，但我很驚訝今天小柏和阿翰向我說對不起，我沒想到他們會寫卡片給我，因為他們從來沒這樣好好的跟我說話過，這件事是我今天最快樂的事了。」

我也請她以後別再隱藏自己的情緒，要更愛自己一些，勇敢告訴旁人自己不喜歡這樣被對待。

我常說：「教書，讓我看到好多孩子的故事，帶給我對生命更深刻的檢視與自我療癒。」還好我擁有這些孤單和傷痛，讓我能更貼近那些需要被幫助的孩子的心，也在一次次的師生對話中，一起學會同理，也學會珍愛內心的自己。

讓班級更有愛的4個方法

1. 老師先整理自己的情緒
2. 同理孩子錯誤行為的原因
3. 用孩子能懂的語彙引導思考
4. 幫助孩子用行動彌補錯誤

覺察情緒源頭

一堂為難代課老師的師生情緒課

昨天因公假外出，只好請代課老師來班上幫忙一天，結果晚上就收到同事傳來的訊息。聽說孩子們一整天的表現都很不理想，不但對代課老師態度不佳，還做出一些不禮貌的行為，同學間也傳出不少爭吵、哭泣的衝突。

這位老師長期在我們學校代課，我十分敬佩她在教學上的專業。班上孩子能遇到這位代課老師，我本來很放心，沒想到，竟然會發生這樣的事。

當下我的心情十分複雜，因為代課老師並沒有做出不適切的舉止，我的學生卻公然為難老師。以前的我會感到生氣，因為不認同這樣的行為，然而深思一整夜後，我有了不一樣的想法。

我在這群孩子身上深刻感受到——培養孩子的同理心，絕對是我們教導下一代孩子的重要任務。

平時班上常見的衝突，都源自於某些孩子只在乎自己的喜好，而做出讓他人不舒服的行為；但對他人的感受和想法，卻顯得無動於衷。

這次的代課老師衝突事件也是如此。也許這位老師不是他們喜歡的類型，但是全班孩子一起以不配合的態度來對抗，讓認真教學的老師心裡受傷，這些都是缺乏同理心的表現。

我可以想像昨天一整天，他們身上肯定有著滿滿的情緒不知如何排解，所以只能對著代課老師釋放出來。和我討論的同事說：「你看他們的分離焦慮症有多嚴重？」

那麼，這滿溢的情緒，是什麼樣的情緒？我有沒有試著傾聽他們隱藏的情緒？我是否能讓這件事情所產生的情緒，在和解後圓滿釋放？

借助寫作的寧靜力量

於是隔天，我發下一張情緒語詞列表。在確認全班都懂得這些情緒語詞後，我問了第一個問題：

1. 覺察自身的情緒

「請寫出昨天老師請假，當你看到代課老師進門，以及一天下來和代課老師相處後，你的情緒是什麼？請選出三個情諸語詞，並詳述原因，以及當時你做了什麼。」

我希望他們利用三個情緒語詞，重新回顧昨天自己的情緒波動，並運用書寫的力量，將它們記錄下來。

不少孩子的情緒語詞都是「震驚」、「煩悶」與「絕望」。

有孩子說：「因為我每天都想要給明進老師教，但昨天一看見代課老師，心情當然很失望。我有時候在上課時說一些話，但代課老師都不聽，讓我非常不開心。

因為這些情緒，讓我不想和她說話，上課不理不睬，她說什麼我都沒有在聽。」

2. 同理他人的情緒與認知

等孩子們寫完後，我問了第二個問題：

「請換位思考，想像你是昨天的代課老師，看到『你』這位學生一天下來的上課表現，請幫她選出三個情諸語詞，並詳述原因。」

孩子們原先振筆疾書的速度，變得遲疑許多，換位思考讓他們開始同理代課老師昨日的心情。

一位孩子寫下：「代課老師的情緒應該是沮喪、無奈、疲憊。因為整天我都看起來很不耐煩，老師問好不好、懂不懂，我都一直應付的說好、懂、有。在數學課時，我每算對一題，就得意驕傲一次，她可能會覺得我們班很可怕，而且看著台下的我們感到無奈。」

也有孩子寫道：「我們整天吵吵鬧鬧的，老師跟我們講話時都不理她，所以老師應該是生氣。上課時有人不專心，有人在發呆、聊天、做自己想做的事，我有感受到老師的憤怒。老師還懷疑的問我們：之前上課的態度也是這樣嗎？」

3. 換位思考後的自我覺察

等到所有人都寫完，我請他們再寫下：

「此刻你回顧昨天自己的情緒，以及代課老師的想法後，你的情緒如何？請選出三個情緒語詞，並詳述原因。」

回顧當時自己的情緒，也同理代課老師的心情，我希望孩子們再回到當下，觀看這兩種情緒在自己身上產生的變化。

孩子說：「我的情緒是沮喪、自卑、矛盾。我不應該對老師有這樣的態度，她是老師，而且也是在慌張中度過這一天。雖然我不喜歡她的上課方式，但她也很努力的讓我們上課可以感到輕鬆自在。」

另一位孩子則說：「歉疚、沮喪、難過。我沒想到在代課老師眼中，我有那麼討人厭，在我得意時，可能老師也對我厭煩。所以我現在一想到老師站在台上看我的表情，我就感到很抱歉。」

4. 說出愛與擔憂

等到所有人都寫完，我說：「那大家猜猜看，老師此刻的情緒語詞又是什麼？」有人說是「生氣」、「憤怒」，也有人說是「難過」、「沮喪」。

我說：「都不是。老師此刻的心情，其實是『矛盾』。照理說，我應該對大家的行為感到生氣才對。但是我知道，你們是因為老師不在而感到煩躁，我深刻感受到你們很喜歡老師，所以此刻我的心情很複雜，我究竟該暗自竊喜，還是該難過呢？」

「老師的另一個情緒，是『焦慮』。我焦慮著：為何到現在，你們還學不會同理他人的感受？我也焦慮著：你們至今還學不會如何跟不同教學風格的老師相處，未來升上國中，遇上看不順眼、不對盤的老師，該怎麼辦？」

我說出內心的愛與擔憂，此時整間教室裡的孩子都靜默無聲。我相信這樣的溝通方式，比起責罵與處罰，來得更加有傳達力；孩子們也在多元視角中，重新學習包容力與柔軟心。

5. 進行具體的彌補行動

因為有孩子寫到：「很震驚，自己怎麼可以這樣做？也感到無奈，不知道要怎樣跟老師道歉。」後續我們也進行了幾項彌補：把當天有狀況的孩子找來聊聊，給他們一些情緒表達的建議；也給每個人一張小卡，把想對代課老師說的話寫下來。

孩子說：「老師很對不起，我們上課的態度很不好，一直愛理不理的態度，讓您生氣了。有時我真沒有同理心，沒想到老師的情緒。其實老師您對我們很好，但我們卻對您毫不理會。您叫我們訂正，我們還不理您，很抱歉！我們不應該用這樣的態度對您。我要向您道歉，請您原諒我們，對不起！」

看著桌上這盒全班寫的小卡，讀完心裡暖暖的，這件事情總算有個比較圓滿的結局，我們也約好，明天一起親手把這些卡片送給代課老師。

很慶幸這次我選擇了不同的處理方式。也謝謝此次的突發事件，為我和孩子上了重要的一課。

互相理解 5 步驟

1. 覺察自身的情緒
2. 同理他人的情緒與認知
3. 換位思考後的自我覺察
4. 說出愛與擔憂
5. 進行具體的彌補行動

激發團體榮譽

縮小自己，讓彼此更幸福

走上講台，我在黑板上方，寫下大大的一行字：「一起縮小心中的自己，朝著讓彼此更好的幸福感走去。」

我打算讓這段話陪伴全班一段日子。我慢慢的寫著，孩子們也一字一字唸出這段話，紛紛露出疑惑的表情。

我說：「這陣子班上發生好多事情，經常出現爭吵與排擠，也發生因衝突而導致的受傷事件。」孩子們點點頭。

「所以，我們要來進行一個『我以六〇七班為榮』的運動。」

「以六〇七班為榮？」

我說：「是啊！大家進來這美術班第四年了，彼此累積好多情緒，總是一觸即發。大家都習慣用自己的角度來面對事情，只想追求個人的快樂；卻忘了這個班的好，忽略了應該要以追求整個班級的快樂為前提。」

我請孩子們閉上眼睛，感受此時此刻坐在教室裡，有好同學陪伴，享有這麼棒的教學資源，是多麼大的幸福。

孩子們的臉上，開始有著不一樣的神情。我說：「只追求個人的快樂，最後會發現那不是真正的快樂；唯有真正為他人付出、感受到他人的快樂，才會真正從心底湧出一股幸福感。因此，老師想請大家來感受這種更高層次的快樂，從只關注個人的感受，轉向眾人需求的觀點。」

凝聚班級五步驟

1.「我以班上為榮」：凝聚向心力

我帶這個班三年了，雖然孩子們在生活及學習上有進步，但看到他們肩負沉重的壓力和滿溢的情緒，總覺得自己的班級經營，還有極大的調整空間。

那層出不窮的爭吵，源於班上缺乏存在的價值感，也忘了從「個人」情緒跳脫出來，試著用更高層次的「團體」榮譽感，來觀看所處的環境。我想重新調整他們的視野與格局。

所以我出了一份回家作業，請他們寫一篇〈我以六〇七班為榮〉短文，感謝這個身處很久、卻忘了要去愛的班級。

收回來的文字充滿感性。小昱說：「我是班上的一分子，我就要盡力。它是我另一個家，大家都是一家人，要同心協力讓大家更愛我們。」小宇說：「我要以六〇七為榮，因為有你們，所以我的童年不孤單；我要以六〇七為榮，因為你們都很包容我；我要以六〇七為榮，因為你們再怎麼搞怪，都是我最美好的回憶！」

透過書寫，他們開始思考，原來彼此之間，是有愛的連結；也看到內心底層，有著希望這個大家庭更好的渴望。

2.「我以班上的〇〇〇為榮」：向典範借鏡

隔天，我又出了另一份作業〈我以六〇七班的〇〇〇為榮〉，請他們觀察身邊有哪些同學，一直以來總是努力讓這個班級變得更好。

讓我驚訝的是，孩子們書寫的對象，並非那些經常得獎、為班上增光的優等生，反而是在班上默默做事、熱心服務的較安靜同學。

孩子說：「我以六〇七的小蓁為榮，她總是默默的為班上付出，幫大家整理學習環境，關心身邊的人。上回我不小心嗆到，她第一時間就來關心我，問我有沒有好一點？我真的覺得她是一位很棒的同學，班上一定要有她，我好以她為榮。」

也有人際關係不佳的孩子，得到更多的同理：「雖然他是班上的頑皮同學，常常遲到、上課睡覺、一直犯錯、不開心就大哭、生氣就大叫、上科任課狀況很多……讓老師一直擔心他。但我真心以他為榮，只要用心觀察，就會發現他很善良，不會的數學問題他會教大家，老師需要幫忙時他很熱心，他是班上的默默小天使。」

更多的是，透過找尋典範的觀察，孩子們開始進行自我反思，思考自己的不足：「老師要我們寫〈我以班上的〇〇〇為榮〉，我想了很久，因為班上我再怎麼討厭的同學，他們都有做過可以讓我們六〇七班為榮的事。反觀我自己，好像沒有做過什麼可以讓班上以我為榮的事情。」

3.「讓班上以我為榮」：為團體盡力

接續前幾天的作業，第三份主題書寫〈讓班上以我為榮〉，則是回到自己身上，思考自己如何能為團體付出，找到在班級裡的存在感。

孩子小易說：「我絞盡腦汁，終於想出了十一個好方法……如果以上這些我都有確實做到，相信班上同學一定會以我為榮。」

常犯錯的孩子說：「怎樣讓六〇七以我為榮呢？首先上學不遲到，讓班上的分數不會因我而被扣分。也要主動幫忙打掃，因為主動把班上的整潔弄好，是我們班上每位同學的責任，而不是特別某個人的事。第三是要面帶笑容，要記得禮節，對長輩問好，讓大家對我們的印象深刻。要一直記得老師的名言：『一起縮小心中的自己，朝著更大的幸福感走去。』」

寫完這一系列短文後，我發現孩子們的視角開始改變。他們說：「我發現，其實大家都很想要以班上為榮，昨天中午大家都很想要把工作做完，大家同心協力，一下子就完成了。要感謝老師找出班上一直以來的缺點，讓我們能夠改進。我也很好奇，我們班上未來會變成什麼樣子？」

4.「讓全班以我為榮的小叮嚀」：化為具體行動

從書寫中，我看見孩子們珍貴的反思歷程。然而，要變成一種習慣，必須藉由生活實踐與反覆練習，來促成改變的發生。

我靈機一動，發給每位孩子一張空白卡片，請他們寫下「讓六〇七班以我為榮」的小叮嚀小卡，再黏貼在桌上，化為一股隨時提醒的支持力量。

孩子們奮筆疾書，上頭滿是真摯的自我對話，有的孩子還為自己畫上可愛的小插圖。

容易理智線斷裂的孩子寫下：「親愛的小昇：隨時提醒自己，不要把焦點放在自己身上，多想著別人。如果有人惹你生氣，記得一定要轉念，想想為什麼他要這麼做，千萬別先發脾氣，多想一些開心的事，讓自己開心，這個班才會變好。」

自我的、冷漠的孩子，不約而同的寫下：「親愛的自己：希望你可以多多幫助其他人，不要對事情都很冷漠。讓六〇七以我為榮吧！」

還有孩子一口氣寫上了七大點叮嚀，包括：與他人的互動、不要刻意排擠他人、看到老師或同學都要主動幫忙、每天都要保持笑容……這些都是平時對他們的叮嚀與提醒，原來孩子們都知道。

整間教室裡的叮嚀小卡，一張張立於桌上，像是春天的小草冒出頭，隨風輕搖，不斷朝著每位孩子笑著，為他們加油、打氣著。

5.「叮嚀小卡落實日記」：看見自我的轉變

最後，再讓孩子們書寫〈叮嚀小卡落實日記〉，記錄每天一點一滴的變化。

平時對活動投入度不高的孩子說：「寫完小叮嚀後，我有一點點的小改變。我變得比較貼心，主動幫我們這組拿作業，上課時也不會很愛講話。想起小叮嚀的內容時，又把說到嘴邊的粗話收回來。」

容易動怒的孩子則說：「我昨天特地看了小叮嚀，試著縮小自己，放大世界，沒有再和別人起爭執。我的心還不夠像海綿，我要努力讓六〇七以我為榮！」

這班孩子是如此獨特，和我以往帶的班級有很大的不同。他們慢熟、有主見，但拉長時間軸來看，仍有不小的進步。這班孩子確實提醒了我，「同理心」是現代孩子最欠缺、最難教，但也是最重要的品格力之一。帶領他們看見團體的榮譽、找到自我價值，對我而言是相當珍貴的學習歷程。

孩子們，距離畢業還有一段時間，還有更多精采的回憶等著我們一同去創造。讓我們一起縮小心中的自己，朝著讓彼此更好的幸福感走去！

凝聚班級5方法

1.「我以班上為榮」：凝聚向心力

2.「我以班上的○○○為榮」：向典範借鏡

3.「讓班上以我為榮」：為團體盡力

4.「讓全班以我為榮的小叮嚀」：化為具體行動

5.「叮嚀小卡落實日記」：看見自我的轉變

看見他人優點

從交換卡片中學習同理心

每年，學校裡總會因應各種節日，舉辦許多慶祝活動。對於這些節日慶祝活動，我自己有著不同看法。我希望我的學生不只是走馬看花的玩過這些活動，而是能從每一次活動中，體會到背後傳達的深層涵義。

例如班上將在聖誕節舉辦交換卡片，我不希望這只是花錢買卡片的花俏遊戲，而是孩子們能從這樣的活動中，學習欣賞他人的優點，展現高貴的同理心特質。

我請每位孩子事先準備三張「以上」的聖誕卡片，提醒他們用心寫，寫出一張別人會開心、會感動到快噴淚的卡片，這樣的卡片才會被收藏很久。

卡片裡要寫什麼內容，才能讓收到的人感受到心意呢？先刪去「祝你聖誕快樂」這種八股句型，而是讚美對方的優點、寫一些未曾開口的認同或抱歉，或是一段新友誼的邀請……若是能寫出與對方曾經發生的小故事，就會是很專屬、很獨特、很有記憶點、也很感動人心的卡片。

我也提醒他們多準備一些空白卡片，作為回信之用。可以的話，也請寫給可能收不到卡片的同學。當孩子們彼此贈送卡片時，也在互相傳遞關愛。

在交換卡片之前，我說：「請大聲的向對方說聲『聖誕節快樂』，可以的話，也送他一個溫暖的擁抱吧！」

此時教室裡好歡樂，暖男們和好友們紛紛送上最溫暖的擁抱。我也留意到幾位孩子臉上的落寞，趕緊提醒孩子們回贈卡片給同學，並且拿出備用小卡，請全班寫給那些只有收到一封、甚至沒有收到卡片的同學。

一些暖心的孩子立馬補寫新卡片，教室裡更多的是振筆疾書、想回贈卡片的畫面，讓人看了心裡暖呼呼的。

「每一次與人接觸，都是一種關係的連結與建立。」很希望孩子們從中學習到人際關係的維持，以及同理心的培養。

我看到那位被排擠的男孩，安靜的坐在座位上看著收到的卡片，他的臉上有著意味深長的神情。男孩告訴我，他看完卡片心裡好溫暖，感動得想流淚。

寫下珍貴回憶

我將這天的短文寫作主題改為〈交換聖誕節卡片的心情與感想〉，希望藉由書寫，留存這些美好回憶，也讓孩子們重新思考活動本身蘊含的意義與價值。

人緣極佳、收到很多張卡片的女孩寫道：「看完卡片後覺得很感動，回信之後，沒想到又收到更多張卡片，我的心完全被融化了。真的很感謝老師舉辦這個活動，讓我體會到朋友彼此間的感情，真高興交了這些好朋友。」

努力製作卡片、寫卡片給每位同學的女孩說：「我這幾天一直忙著畫圖，最後一刻才完成令自己滿意的卡片。我看到好多同學收到我的卡片，她們都珍貴的把我的手工卡片抱在胸前，捨不得它受到破壞……真的非常謝謝老師您舉辦這個活動。」

但我更在乎那些常被忽視的孩子，他們總是在這樣的活動中顯得更加孤單。我總是不厭其煩的向班上傳達：每位同學都有其優點，有適合他的舞台，每一個人應該被友善對待，是我們這個團體中不可或缺的重要分子。

平時總是安靜無聲的女孩說：「今天交換聖誕節卡片時我很開心，三年級時我們班上也有交換卡片活動，交換完，我發現我的桌上連一張卡片都沒有。但是今天我很開心，因為我得到了四張卡片。」

被眾人排擠的男孩說：「今天收到卡片時，我感動得都快哭了……我讀他們的信才讀到一半，就熱淚盈眶了。雖然只有拿到三張卡片，但我看到同學們的誠意和心意，所以明天我要給這幾位同學一個大大的抱抱。」

很多孩子確實感受到這個活動所蘊含的溫暖，但是我更希望他們感受的是，文字可以帶給人們的力量。

他人的溫暖可以融化我們的心，但同時，我們也能成為給予他人幸福的人。只要我們的眼神一直看顧著那些需要的人，為他們伸出溫暖的雙手，他們就會更有力量去面對自己的人生。

能夠體悟這個道理的孩子，未來的他，也能成為一位幸福的人。我想，這才是這些美好節日蘊含的幸福真諦吧！

老ㄙㄨ小語

每一次與人接觸，
都是一種關係的連結與建立。
他人的溫暖可以融化我們的心，
我們也能成為給予他人幸福的人。

練習對話能力

讓孩子開啟連結、找到歸屬的聊天力

「可、可惡……」我對著全班說：「為什麼每個人都跟我說，好喜歡這個『聊天課』，期待老師再上一次？那為什麼平時我用心備課、在課堂上講得嘴角全泡（台語），都沒有人告訴我你們有多喜歡、有多期待呢？」

全班笑得花枝亂顫，這個不起眼的「聊天課」，竟然引發孩子的高度興趣，真是讓我始料未及。

事實上，會安排這堂課，主要是想改善同學間的關係。這班孩子雖然乖，但男、女生之間壁壘分明，很少有互動；女生之間的小圈圈也讓我好難突破。我心想，該是讓這經典的班級經營課程浮出水面的時候了。

於是，我在黑板上寫上「來上一堂聊天課」幾個大字，「聊天課？」孩子們詫異的問。他們大概滿腦子想著，可以亂講話到海枯石爛、至死方休吧？

我說：「聊天課，不是放任你們自己亂聊，是要來學如何聊天。與他人一次好的聊天經驗，可以讓我們獲得諸多好處。」

「就像老師常和你們分享的這句話：『每一次與人溫暖的接觸，都能為自己帶來良好的人際關係。』有些人會讓旁人很喜歡親近，覺得和他聊天很有趣、收穫滿滿，這正是一種需要好好練習的能力。」

我在黑板上寫下幾個與人愉快聊天的重點：

1. 營造愉快氛圍

- 眼神、表情都要讓對方覺得舒服與被尊重。
- 眼神尤為重要，好的傾聽者會注視著對方雙眼；若自己會緊張，看著對方眉心即可。
- 表情要面帶微笑，並不時給予點頭、笑聲、驚訝等輔助肢體動作。

2. 讓對方多談自己

- 話題以展現自己的好奇心為主，提出一個你最感興趣的話題，讓對方可以多談談他自己。
- 如果對方滔滔不絕的談論他自己，代表這是一個好話題。
- 千萬不要用是非題來問，多問一些開放性問題。
- 也要切記，不問太過私密的問題。

3. 話題要有拋接球

- 千萬不要當「句點王」，把話題用簡答題回答完，就悶著不講話了。
- 當對方問了一個問題，等於是做了一個球給你，你應該仔細回答，並適時向對方問一個好問題，再把發言權丟還給對方，例如：我也很好奇你的想法是什麼？你有過相同經驗嗎？

4. 持續傾聽、提取重點並追問

- 好的聊天經驗，是因為有好的傾聽者。
- 多數的人都愛談自己，我們要做的就是聆聽即可。
- 適時的在對方談話過程中提取重點，從中再追問、深化談話內容。
- 這樣可以將對話更加精緻化且有深度，同時對方也會覺得被重視，感受到你對他的好奇心。

介紹完這些聊天策略後，就讓孩子分組練習。我說：「現在請找一個你不太熟的同學，找個舒服的位置坐下來，運用黑板上的這些策略，和他們好好聊聊天吧！」

孩子們先是一愣，仍乖乖配合，找了平時較沒有互動的同學來聊天。五分鐘過去，教室四處傳來笑聲，顯然他們聊得滿愉快的。

經過練習，人人都能愉快對談

我說：「接下來，再換一位同學。不過大家有沒有發現，你們找的聊天對象，男生只會找男生，女生只會找女生？現在請男生找一位女生，女生找一位男生，再次進行你們的聊天課。」

教室內發出陣陣哀嚎聲，好不容易，全班每一位同學都分組完畢，坐下來開始聊天。

有些孩子搶得發言先機，開始滔滔不絕，這些都是平時在班上人緣比較好的孩子；而平時對班級事務較冷漠的孩子，則是有一搭沒一搭的回話。在一旁的我深深感受到，聊天真的是一種需要好好練習的能力。

不過，當話匣子打開後，連不擅與人交談的孩子，也可以開始與人互動。我看到平時不苟言笑的酷哥，竟然會耐著性子聽對方說話，並適時給予一些回饋；連平時要自閉的孩子，也能被對方好好照顧……這些畫面讓人看了忍不住微笑。

五分鐘後，我說：「那麼，再來一輪吧！再找一位異性同學來聊天，這位同學是從五年級到現在，你從來沒有互動、聊天過的同學。」

教室裡又再度哀嚎聲不斷，不過，「練習」真的是學習的好朋友，大多數組別很快就上手了。我驚訝的發現，平時在課堂上說話小聲到難以分辨的女孩，也能與同學輕鬆交談。

其實，很多時候孩子感到緊張或焦慮，都是源自於未知與不熟悉。但幾次練習後，發現其實沒什麼，反而能夠用平常心來看待。

五分鐘後，我喊「停」，不少孩子直呼可惜：「老師，每回我都還沒聊夠，時間就結束了。」

我問全班：「你覺得剛才聊天很愉快的人請舉手？你覺得收穫很多的人請舉手？你覺得，原來對方和你想像得不太一樣的人請舉手？」

大多數孩子都舉起了手，原來，孩子自己都感覺得到，當我們真心與他人互動時，將有機會獲得一段寶貴的友誼。

孩子需要找到自己的溫暖歸屬

當天孩子的聯絡簿裡，滿滿都是心得與回饋，孩子們都懂老師的用意，也感受到自己的轉變。

曾看過不少班級，老師很認真於教學，但班上仍常有爭吵和排擠的狀況出現，其中最大的關鍵，就是「老師忘了幫忙營造溫暖、安全的教室氛圍」，沒有將散落的孩子凝聚成有歸屬感的團體，因此總是疲於奔命，整天處理個體與個體之間發生的問題。

而我想做的，就是打通他們之間的隔閡，創造一個又一個善的連結，讓他們跨出自我設限的圈圈，感受對他人的好奇。

當每個人都與他人有過溫暖的接觸，冷漠與對立就會被融化，整個班將會慢慢凝聚成一個具歸屬感的共同體。

4大關鍵，培養聊天力

1. 營造愉快氛圍
2. 讓對方多談自己
3. 話題要有拋接球
4. 持續傾聽、提取重點並追問

伸出溫暖的手

選擇做一個善良的人

兩位男孩放學後還捨不得離開教室，動作俐落的幫忙整理教室。

很難想像這兩位男孩早上才闖了禍，兩人之間的衝突，造成家長的不諒解，讓我花了一個早上善後，連學校兩個行政處室都來幫忙調解。把事情理清楚後，兩位男孩就像什麼事都沒有發生似的，活脫是兩位善良小天使在我旁邊忙碌著。

兩位男孩都來自困苦的家庭，單親的、同居的、經濟弱勢的、學習有狀況的、沒人愛的……讓孩子心裡有著揮不去的陰影，連帶影響他們的表現。

其中一位男孩，我已經連續被他爸爸轟炸了三天，每天都有新的事件發生，讓人心力交瘁。雖然這家庭的狀況真的很多，但看著此刻在教室裡幫忙的男孩：動作敏捷，充滿元氣的回應，展現出他極高的誠懇與心意，令人疼惜不已。

默默看著男孩，想著他最近的日子應該過得很辛苦吧？我突然說：「來，過來這裡，給老師抱一下吧！」男孩有些嚇一跳，但還是面露微笑的靠過來。

我是真心的想傳達給這孩子一份溫暖。我說：「你大概很久沒有被人抱抱了吧？」

男孩說：「爸爸媽媽從來沒有抱過我。」

「什麼？你從來沒有被抱過？」

「沒有。」

「嗚嗚嗚，那老師肯定要給你一個很大的擁抱了。」

顧不得男孩身上的汗臭味和異味，我張開手臂，給他一個大大的擁抱。

男孩笑了，笑得合不攏嘴。

接著，兩位男孩就在我面前，開始比較誰的家長比較凶、誰家又曾經發生過什麼事，聽得我直搖頭。

身為一位平凡的國小老師，我能為他們做的，只有守護在這小小的教室裡，為他們營造安全的歸屬感；為他們打開世界的窗，讓光灑落進來。

臭死了，你走開

這男孩一來學校，同學們就摀著鼻子，厭惡的說：「臭死了，你走開啦！」不只孩子們，其實我也聞到他身上發出的尿騷味，濃烈的令人無法靠近。

但是，這不是第一次，也不會是最後一次。學校的回收舊衣常被他們家一件一件取走，又一件一件丟棄。而身上經常性傳出的大小便異味，早讓同學們失去耐心，甚至有人開始惡言相向。

只能說這是一位不幸的孩子，被暴力相向、被精神折磨，連他自己都失去了微笑的勇氣。

每回和同事談到這孩子日益險惡的處境，除了心疼、氣憤、嘆息，還有更多的困惑……我真的不理解，他的爸媽怎麼會看不到這孩子的優點、看不見他的可愛之處？怎麼能無視這孩子脆弱、日漸枯萎的心靈？這麼多社會資源都進駐了，怎麼還看不見任何效益？

我對全班孩子說：「有誰願意一身惡臭的來學校？想像自己活在一個沒有乾淨衣服穿、甚至是連洗澡都沒有權利的環境裡，你還能怎麼辦？」

「你們該感謝有這樣一位同學的存在，讓你們看到自己有多麼幸福。你們還要感謝他的是，因為有他的存在，你們有機會選擇做一個善良的人。」

離去

男孩因為家暴因素被緊急安置，讓人悵然若失。令人嘆息的是，隔天竟然沒有任何一位同學察覺他的缺席。

這是讓班上孩子同理男孩的最後機會了。我和全班孩子說明男孩離去的原因，說了男孩先前的困境與遭遇，也解釋為何男孩身上總有異味、總有那麼多令人難以忍受的怪異行為……說著說著，全班安靜無聲，很多孩子臉上帶著震驚，難以想像男孩的世界和他們的世界，怎會有如此大的差異？

我說：「開學時，我曾經說過：『你們要感謝這位同學，因為他的存在，讓你們知道自己有多麼幸福。也要感謝他，因為他的存在，讓你們有機會選擇當一個善良的人。』」

我繼續說：「從開學到現在的這段時間，如果你曾經給予他關心與溫暖，老師要謝謝你，也恭喜你，因為你是證明自己是一位良善且溫暖的人。但如果你還未曾，或是你仍然以鄙夷、厭惡的態度對待他，那麼很可惜，可能你連一句『抱歉』都來不及說，因為他從昨天晚上後，就永遠消失在我們的世界了。」

孩子們十分錯愕，其中一位女孩，當場流下感傷的眼淚。事後，有很多孩子在短文裡寫著他們其實十分悲傷，只是怕別人取笑而忍住，離開教室後，眼淚就立即潰堤。

我是如此感謝這些充滿感情的孩子，讓我明白在這班上，有人和我站在同一陣線上，曾經努力保護過男孩，對他伸出友誼的溫暖雙手。

寫下一句句的不捨和道歉

為了讓孩子們的情緒有個出口，我請他們每個人各寫一張卡片，寫下最後想對男孩說的話，我們將此做成一本書，裡頭有我們的不捨、孩子們的歉意和對男孩未來生活的深深祝福。

教室裡安靜無聲，每位孩子都振筆疾書，表情專注。很多孩子寫下他們的「對不起」，對於先前的冷漠眼神與嫌棄態度，他們深感抱歉；現在他們完全能體會到那些身不由己行為的背後原因。

平時最嫌棄男孩、甚至會欺負男孩的皮蛋們，也一字一句寫下令人揪心的文字，令人讀了又是感嘆又是感動。

孩子們說：「對不起，以前都會欺負你，如果有讓你生氣或不開心的事，就大聲的罵我吧……我希望你能在某個地方過著像童話故事一樣的結局，都是幸福的！」

「謝謝你出現在我的人生，教導我應該要怎樣去善待別人。這一年多來我對你做了很多不好的事，對此我深感抱歉……真希望可以和你完成這段未完成的友情。愛你哦！要好好認識這世界上的每一位好人。」

「對不起，以前的我都會嫌你臭、嫌你髒，但我現在知道一切的原因了。你可以原諒我嗎？或是原諒我們班對你做出這樣愚蠢的行為嗎？」

「謝謝你讓我學到寶貴的一課，記得你也要當一位成長型思維的人！」

我自己也提筆寫下一段文字：

「孩子，那天晚上從學校辦公室離開時，我看著你無神的向我揮手道別，我沮喪的在騎回家的路邊大哭，沿路哭著回家。內心對你有好多的捨不得，捨不得你就此離開了，遺憾我在那天晚上無法和你好好道別，只能故作沒事的告訴你：『沒事了，可以好好休息了。』

雖然遺憾，但我更加慶幸的是，你將重新展開新生活，到一個更光明、願意善待你的環境。老師希望你的心裡，要一直存著光明的力量，就如同那天離別前，我說：『要記得此時，有多少人為你奔波忙碌，極力的保護你。日後在你悲傷、無助、感覺被黑暗淹沒的時候，要記得這世界上還是有善良的人，還是有人願意愛你。然後也要從心裡升起一股愛自己、願意相信自己的勇氣。

你離去後，班上同學好想你，少了你的班上像缺了一角。他們也想念你的樂觀、單純與開朗，在這樣的環境下，還能總是一臉笑咪咪、開心的模樣，或許這是上天給你最珍貴的禮物。有空記得寫信給我們，我們會一直為你祈福的！愛你的老ㄙㄨ」

隔天，我請全班再寫下一篇關於「我和男孩的故事」的短文，像我一樣，留存此刻的心情與回憶。

有孩子說他寫著寫著又哭了，他不明白世界上怎麼會有過得如此辛苦的人。一位孩子寫下：「我很抱歉當時沒有對他好，也要謝謝他讓我有機會當一位好人。」

愛哭的老師，總是為這些文字，感動得熱淚盈眶。

是啊，謝謝男孩，你用自己的生命故事，為我們扎扎實實上了一堂「同理心」課程，讓我們感受到自己有多幸福，以及深刻體會到「愛要及時」的真諦。

這一課，實在好珍貴！

老ㄙㄨ小語

謝謝每位孩子，
讓我看見自己的幸福，
也有機會選擇做一個善良的人。

家庭生活

妥善處理衝突

找出教養問題背後的脈絡

在一次的講座預備中，主辦單位很夠意思的蒐集一百多份家長的問題。我整理得有些眼花撩亂，還出動寫博士論文的編碼能力。

整理下來，也看見現代家庭的一些問題與盲點。例如：提問第一名的，是關於「手足相處」的問題，其他還包括了很多「孩子不主動學習」或「孩子不主動做家事」之類的發問。

很多問題確實很棘手，但是並不容易給出適切建議，因為我們往往看到的是發問的「結果」，而漏了問題背後的「成因」，或缺乏問題形成的「脈絡」。

我思考了一下，想和家長們分享和孩子溝通的脈絡：

1. 還原事件發生前的情況

首先，我想請大人仔細回想，當所謂的「不主動」行為發生時，孩子正在做什麼？而大人又在做什麼？

是否我們打斷了孩子正在做的事情？或是我們用命令式的語氣說話？而大人在這之前又做了什麼？是忙碌於自己的工作，才驚覺孩子也放空了很久？或也沉迷於滑手機之中，讓孩子感到不服氣呢？

有時候，我們只有看到或聽聞某個片段，卻因為我們自身的煩躁情緒，而讓小事無限擴大成一場家庭風暴。也許當下我們試著將時間軸往前推移，不急著發脾氣，多些緩衝時間，才能拼湊出事件發生前的更多原貌。

2. 同理孩子的情緒

其二，是先同理孩子的情緒。孩子當下肯定是滿心不悅，讓他心情不美麗的去做這件事情，只會讓他日後更厭惡這件事情。那麼，我們有沒有讓他有轉圜的時間，例如：先完成手邊的事情，再去做後面的指令？

有同理心的孩子，需要在有同理心的環境下成長。

如果我們未能好好接納孩子的情緒，總是用強行打斷或威嚇來使他收起情緒，那麼，他怎麼能學會接納自我情緒、學會適切的表達情緒？他未曾感受到情緒被同理，又怎麼能同理家人辛苦的處境呢？

3. 覺察大人自己的情緒

更重要的是，我們大人呢？是否也沉溺於自我的情緒，語氣開始煩躁起來，失去了原來愛孩子的一致性姿態？或是將自責的心情轉移到孩子身上？

阿德勒理論提醒我們，情緒是一種選擇，當我們以生氣的姿態應對孩子時，其實是隱含著某種意圖，企圖用生氣迫使對方就範。

然而我們忘了，生氣並不能解決問題，反而是壓抑問題，長久下來會衍生更大的問題。同時，孩子也在學習大人使用狂暴情緒的應對方式，以至於在學校、在面對手足時，就變成動不動暴走的小火山。

在我們生氣的前一秒鐘，其實還有理智可以做出更好的選擇。

4. 探討彼此情緒的背後是什麼

覺察了彼此的情緒後，還要去反思，此刻情緒的背後又是什麼。尤其是大人，為何從愛孩子的形象，快速轉換成指責孩子的姿態？是因為勾到了什麼，反映出大人內在的課題？還是討厭在孩子身上看到自己的某種性格？

曾經在一場教師研習會場外，一位老師談起了她教養兒女的無力感。但再進一步追問，我們拼湊出大人的這些情緒，都源於自身從小渴望他人眼光的討好，以至於面對孩子時，總是害怕看到自己不好的一面。

後來，這位老師在會場外泣不成聲，看著眼前這位老師，我也頗有感觸。我們都是認真自勵的人，以這種隱含著討好與自責的態度，面對我們的求學、生活、家庭各層面，使我們的世界維持在某個平衡的狀態，以免失控崩解。

但是面對所愛的孩子，我們不應該再繼續投射自己內在的討好或自責課題，而是要用更大的智慧來引導孩子成長才是。

5. 善用對話力

良好的對話能力，能夠穩定情緒、釋放壓力，同時能驅動孩子的動機。

每一屆班級裡，都有不少家長懇求我和他們的孩子談談，因為他們說服不了自己的孩子。小至穿衣、穿鞋，大至無心求學、與手足發生激烈衝突，甚至在孩子嚴重行為偏差發生後，還是未能讓孩子從中學習，親子關係劍拔弩張。

每回和這些孩子聊過後，都發現他們心裡有著滿溢的憤怒情緒。孩子抱怨爸媽從來不願意傾聽他們在說什麼，只會用挑剔、嫌棄的語氣來指責他們，沒有自我價值感的孩子，只能用張牙舞牙的姿態，來保護自己不受傷害……。

善用對話力的關鍵，在於從「我」的角度，轉換成能同理「孩子」的角度。

我們教孩子要有同理心，但我們是否能在當下同理孩子的情緒、同理孩子的理由、同理孩子的需求呢？

6. 激勵內在動機

對話的過程中，別忘了激勵孩子，讓他覺得這件事情是他自己想要的、是他自己選擇的，讓他在寫作業、做家事或獨力完成一件任務時，感受到愉悅的勝任感。大人也不忘多讚美他的認真態度，讓他覺得自己有所貢獻，感受到自我價值。

7. 持續要求恆毅力

除了良好的溝通、激勵出滿滿的動機，還需要自律力與恆毅力，協助孩子持續維持動力。

剛開始，孩子會想做、有信心，但隨著時間推移，孩子會開始失去耐性，因此大人還要不斷的用讚美來支撐孩子的動機和繼續的決心。但請切記，用「謝謝你的用心」來取代「你好棒」，用「自我效能」來取代「討好他人」的心情。

這些過程繁複又花時間，但每一次妥善且合適的處理衝突，才是開啟與孩子溝通的大門，也是孩子最需要的學習。教養不是只有養或教，教養更是需要時間投資的陪伴，親子關係要愈陪愈香才是。

找到和孩子溝通的脈絡

1. 還原事件發生前的情況
2. 同理孩子的情緒
3. 覺察大人自己的情緒
4. 探討彼此情緒的背後是什麼
5. 善用對話力
6. 激勵內在動機
7. 持續要求恆毅力

說出肯定言語

從讚美開始為親子關係加溫

一場親職講座後，幾位家長前來分享他們的感動，其中，一位淚眼汪汪的媽媽特別令人揪心。

這位媽媽提到，孩子升學後過得不快樂，於是怨恨她當初的干預，她不曉得該如何解開溝通難題；接著她說到夫妻關係失和，造成孩子選邊站，以及她忙於工作與家庭間的心力交瘁……。

她在向我訴苦時，我瞥見遠處一位少女，臉上盡是厭惡且氣憤，這位少女說：「媽媽總是如此，從來都不願意聽我們在說什麼，只會責怪爸爸和我們姊妹懶惰……。」

我試圖給予建議，但母女兩人仍各說各話，最後我說：「我感受到其實你們都深愛彼此，但是全家人都身陷情緒風暴，只從自己的立場來責怪對方。能不能回家做一件事情？就是拿出紙和筆，寫出對方的十個優點，並且朗誦給對方聽。」

這對母女欲言又止，我說：「請先放下『根本找不出優點』的想法，想到什麼就寫什麼，好嗎？」

這個家庭的問題，就是傳統的家庭互動模式：沒有溝通、不願意談愛，用數落及批評的方式，表達內心的焦慮。但是，爭吵的背後，是因為愛而擔心。長久下來，一家人都困在情緒深谷裡，只看到缺點，看不到優點，也說不出任何的讚美。

讓孩子感受到自我價值

我也來自類似這樣的家庭。慶幸的是，在我開始當老師時，是孩子用他們的故事，教會我讚美有多麼重要。

在我教書的第二年，班上有位讓人傷透腦筋的孩子小傑，他成天打架、欺負同學、口爆粗話、經常偷竊、作業永遠亂寫一通……打電話和家長聯繫，母親也總是說她束手無策。

但一次的國語聽寫，小傑從二十多分進步到六十分，我在全班面前大大誇獎他，竟然觸發他之後一連串的進步。那次的段考後，我特地安排他上台領「進步獎」。在司令台上領獎後，小傑一直抹去臉上止不住的淚。站在台下看著這一幕的我，也為之動容。

我問小傑為什麼哭？他流著眼淚說：「因為這是我第一次站上司令台，第一次從校長手上領到獎狀，我好高興。」聽完小傑的話，我忍不住紅了眼眶。那一刻，我感受到讚美的力量有多強大。

對於生命中從來沒有被人肯定過的孩子，讚美為他在黑暗中照進一束光，找到渴望已久的出口；讚美拂去他身上的塵埃，讓他感受到自己的存在感。

於是，我開始學習找出每一位孩子的優勢潛能。我總是先暫時忽略那些惱人的外在行為，試著告訴他：「其實你有你的優點，別因為外在的偏差行為，讓別人看不到你內在的好。」

說也奇怪，當這麼告訴孩子時，他桀驁不馴的外在會開始軟化，眼睛裡透著光。因為他不再覺得自己一無是處，而是感受到被期待的認同感，接下來就比較有辦法和孩子深談。

給孩子面對自我錯誤的勇氣

讚美除了是整體優點的描述，還可以是循序漸進的引導語。

阿木這幾天以罵髒話為樂，風紀股長幾次制止，他仍無動於衷，我只好請他先去寫反省單。阿木不發一語的悶著頭就寫，送過來的反省單倒是文字誠懇，於是我繼續與他深談。

我故作輕鬆的說：「你看你自己寫的內容，什麼叫做『反正風紀股長都管不了我』？這樣的想法好黑暗哦。」

阿木求饒的說：「老師，別說了啦！」

我換成稱讚的語氣說：「不過，很不錯的是，你願意面對這些想法，並且把它們寫下來。」

我說：「這些態度上的錯誤，就是你真正的問題。請你再看一次自己的反省單，下一次就不會這樣想了。」

阿木用心看完反省單後說：「我看完了。」

我說：「從剛才請你過來到現在，你的態度都很好，所以我們可以很心平氣和的談論這件事情。」

我繼續稱讚他說：「我剛才還滿訝異的，像剛才請你去寫反省單，你什麼話都沒有說，第一時間就回去寫了。這樣願意面對自我，很令人感動。」

阿木點點頭。我說：「老師從來沒有想要找你麻煩，老師是想要幫助你把這件事情圓滿解決。」

阿木說：「我知道。」

我也幫阿木釐清他的優點和缺點：「我喜歡你這樣的態度，不喜歡剛才那些行為。能區分這中間的差異嗎？」

阿木說：「老師喜歡我這樣的態度，不喜歡我剛才那些行為。」

最後，我再給予支持的力量：「很好，我相信你一定能做到的。」阿木說：「謝謝老師！」腳步堅定的回到座位上，一場鬧劇就此落幕。

很難想像在我剛帶這班時，阿木總是在第一時間逃避過錯、指責他人、用哭泣或憤怒逃避問題……看到他有這麼大的進步，我感到十分欣慰。

這段對話，是當時我與阿木談話的逐字內容，可以看到在對話的過程中，正向的讚美語句占了相當大的成分。

我希望能以真誠的讚美，肯定他所展現出來的良好態度。每讚美一次孩子，就能再支撐他面對自我的勇氣，逐步引導他再往前一些。

為親子帶來和解的機會

我習慣在事情過後，再找機會和孩子聊聊上一次的衝突。也許是當天下午，或是隔天、過幾天，等雙方情緒都穩定後，以讚美開啟我們的話題，用親密的互動修補關係。

不過關於這招，我家指揮媽咪的內力比我還深厚。早上一起床，就聽到指揮媽咪和小蘇姑娘的對話：「媽咪很好奇，你昨天晚上為什麼哭哭呢？」

「因為我找不到睡褲。」

指揮媽咪說：「原來是因為找不到睡褲啊，那可以跟媽咪說，媽咪可以帶你去樓上找。」

小蘇姑娘不好意思的笑了笑，試圖轉移話題。

其實前一晚，小蘇姑娘有些鬧脾氣，自己哭了很久，也不願意說為什麼，我們只好讓她在房間裡自己先冷靜。還好睡前她終於穩定下來，還對著媽咪微笑，並要求要摸手手。

指揮媽咪對小蘇姑娘說：「媽媽很開心的是，昨晚雖然你很生氣，但後來你有整理好自己的情緒，睡前笑咪咪的，媽媽很喜歡這樣的你。而且你還有自己找出自己的睡褲，你真的很棒！」

「對呀，睡褲是我自己找到的哦！」小蘇姑娘說。

於是這對母女，在我眼前再度上演噁心黏膩的鄉土芭樂劇，她們擁抱彼此，互相說「我愛你」，一起說說笑笑、唱著開心的歌謠。

再回到前面那對互相指責的母女。

寫下對方的十個優點，可能無法全面翻轉她們的母女關係，畢竟原生家庭的問題成因十分複雜。但是，希望她們藉由「讚美」做為起點，試著用正向的語言重新開啟對話。

讚美，其實是愛的力量。忙碌的生活步調，常讓我們忘了親子間應該有更多的正向互動。有空請你記得多讚美孩子，給他們一個擁抱，告訴孩子你有多愛他。

一旦大人的心境改變了，孩子的眼神也會柔軟許多。

老ㄙㄨ小語

讚美，是愛的力量，
為孩子在黑暗中照進一束光，
抹去他身上的塵埃，
讓他感受到自己的價值。

擺脫說話慣性

以正向語言傳達愛與擔憂

星期六的早晨，就聽到躺在床上的小蘇姑娘咳了幾聲，咳聲中還有濃濃的痰聲，應該是昨晚貪涼沒蓋被子，在冷氣和電扇的夾擊中著涼了。

我說：「趕快起來喝些溫開水吧！會讓喉嚨舒服一些。」

小蘇姑娘仍躺在床上，多次呼喚她起床喝杯溫開水，還是不見她有什麼動靜。

好不容易等到她從床上爬起，慢條斯理走進廚房，我轉身一看，發現她竟然用昨天看電影喝的飲料杯裝滾燙的熱開水。

我急忙阻止她：「不可以，塑膠杯不能裝熱水，會融出有毒物質。你看！杯子已經融化了！」

我把已融解的塑膠杯快速拿開，小蘇姑娘則是「厚」的一聲，接著跺著重重腳步又走進房間，躺回床上，一直喊著要媽媽去抱她。

整個早上都聽見她咳聲不斷，媽咪幫她泡了杯蜂蜜水，她也不願意喝。自己在床上發脾氣，先是丟玩偶、又是踢玻璃拉門。這舉動實在有些危險，最後我只好起身走進房間，拉高分貝結束這一早上的混亂。

小蘇姑娘抽抽噎噎的哭了許久，其實我的內心有些懊惱。過沒多久，小蘇姑娘被指揮媽咪帶去合唱團上班，到傍晚才回家。進門時，一臉笑咪咪的模樣，彷彿今早什麼事情都沒發生。

當天晚上，指揮媽咪對我說：「我今天出門時有和她好好談，她說她不是故意態度不好，而是被大喊一聲嚇到，因為不知該怎麼辦，才跑進房間。」

我知道，這件事我自己也有深切的反省。

她的確是被我制止不能倒熱開水而嚇到，她那些看似「態度不佳」的行為，背後隱含著不知要如何對應的「害怕」情緒，以至於用「生氣」的行為來應對。

我的情緒也是「擔心」，擔心她咳個不停，擔心她是否生病了，擔心她喝下那杯塑膠杯熱開水……但是，我用看似「生氣」的行為制止她。

探索內在情緒源頭

這件事情在我心裡縈繞許久，我捫心自問：為何「擔心」一個人，會瞬間轉化成「生氣」的情緒？那生氣情緒的底層，又是什麼？

我發現，這樣的慣性源自於我的成長背景。我來自一個不太懂得說「愛」的鄉下家庭，家中成員都愛著彼此，但總是皺著眉頭、急切且大聲的告訴對方不可以。因愛而生的焦慮，經常轉化成某種對立的憤怒情緒。

但這樣的愛，卻是讓人好有壓力，好沉重。年歲漸長的我，努力想擺脫這種說話慣性。

我是一個情緒容易受波動的人，往往旁人的一個眼神、一句話，就能使我焦躁不已。然而，現在的我，想要從自己的內在找到情緒源頭，試著與它和解。

此刻，我清楚看到那「生氣」情緒的底層，其實是「害怕」。

我害怕著，我會不會沒有教好我的女兒？我害怕再這樣下去，小蘇姑娘會不會變得更難以管教？我害怕我目前所能掌握的一切，會不會全然失控……而這麼多的害怕，全指向一個源頭：我害怕我在別人的心中不完美，怕別人不喜歡我。

從小我就是一個很不快樂的孤單小孩，透過比別人更加認真的表現，來博得父母及他人關愛的眼神。我用自律甚嚴來要求自己，一旦有人想挑戰我極力維持的秩序感時，就讓我渾身不舒服。

因此，我只能用「生氣」，來暗示對方不可以這樣做，暗示此刻我的不舒服。但在對方沒有反應、達不到我的目的時，我只能用更高強度的「憤怒」，凸顯我隱藏的意圖。說穿了，這其實是用「生氣」在綁架別人，試圖讓對方屈服在這樣的情緒之下。

我清楚看到自己過往處理事情的習慣，看到了原生家庭對我的影響，也看到自己內在的傷痛……我突然感到前所未有的大平靜。

生氣，是一種選擇。但也許我可以選擇不同的情緒，去珍惜我所愛的人。

用正向語言傳達內心的關心

隔天晚上，我和小蘇姑娘兩人騎著摩托車去買晚餐。坐在前座的小蘇姑娘突然將車頭用力轉彎，她其實是想提醒我右轉，卻讓整輛摩托車晃了一下。

我急忙停下來，喊了一聲：「你在做什麼？很危險啊！」

坐在懷裡的小蘇姑娘，突然又變得漠然，面無表情的動也不動。

我想起昨天早上發生的事，於是我重新好好的說：「我嚇了一大跳，爸比現在好害怕。」

小蘇姑娘說：「對不起！」

我溫柔的說：「沒關係，我知道你在提醒我。只是剛才真的好危險，有可能車子會倒下來，這樣我們兩人都會受傷。爸比很捨不得你受傷。」

小蘇姑娘說：「我知道，對不起！」

回到家後，停好摩托車，我們手牽手走回家。我說：「爸比很抱歉昨天對你說話很大聲，爸比要跟你說聲『對不起』。」

「媽咪有跟我說，你是因為擔心我。」

我問：「爸比想問你，昨天你跑進房間，你是在生氣嗎？」

「不是。」

「那是在難過嗎？」

「也不是。」

「是害怕嗎？」

小蘇姑娘點點頭，說：「因為我不知道該怎麼辦。」

我說：「我明白了，我還以為那時你在生氣。爸比當時很擔心你，很怕你受傷，那是因為爸比很愛你，你知道嗎？」

「我知道啊！」小蘇姑娘說。

我繼續說：「但是爸比用這種大聲說話的方式，讓你不知道該怎麼辦才好。下一次，爸比會再多留意，溫柔的跟你好好說話。」

小蘇姑娘點點頭，說：「謝謝爸比。」

同時，我們也練習了該如何表達自己心情的方法，例如：告訴爸比她嚇了一跳；或是請爸比先進房間抱抱她，再帶著她走出來倒杯溫開水……透過反覆練習情緒的表達，我們父女兩人心中都踏實許多。

為了我愛的家人，我需要更嫻熟的運用正向語言，以完整表達情緒背後的愛與擔憂，不讓負面情緒吞沒彼此。如此，我的孩子才能學會用適切的方式，表達她內心最真實的情感與感受！

生氣或碎唸代表著擔心

一天，去接小蘇姑娘下課。

舞蹈社的樓下，車水馬龍的好難停車。我車停在對街，著急的望著小蘇姑娘下樓。冰雪聰明的她一眼就瞧見人在對街的我，彼此揮揮手，我車子一轉彎，小蘇姑娘就跳上車，真是一趟完美的溫馨接送情。

我讚美的說：「你的眼力真是有夠好的啦！竟然這麼遠都可以看到我……」

開心的話都沒說幾句，小蘇姑娘突然冒出一句：「我好渴喔，你有沒有水？」

「所以你又忘了帶水，對不對？」

我唏哩呼嚕的開始碎碎唸：「我剛剛不是有幫你裝了一壺水嗎？你每次怎麼都忘記帶水？……」

碎唸到一半，我深吸一口氣說：「算了，不講了，說來說去都只是擔心而已。」我心疼的是近兩個小時激烈舞蹈後的滴水未沾。

冷靜幾秒鐘後，我問後座的小蘇姑娘：「你知道人們在生氣或碎碎唸，其實都是一種擔心嗎？」

小蘇姑娘說：「嗯，我知道啊！」

我問：「那我在擔心什麼？」

「你在擔心我沒有水喝，會口渴。」

嘿，其實都懂嘛！

我順勢追問下去：「所以，以後要怎麼樣才不會讓爸爸擔心？」

小蘇姑娘回答：「下回要自己把水壺準備好，自己帶出門。」

這些回答還真令人欣慰。沒想到平時和小蘇姑娘溝通關於情緒的反應與表達，她都默默的收在心裡。

於是我用溫柔語調開玩笑說：「以後啊，當你長大後，像是二、三十歲時，你發現爸爸在對你碎碎唸的時候，你就這麼辦，撒嬌的跟爸爸說：『爸爸，我知道你生氣其實是在擔心我，所以你就不要再碎碎唸了，我自己會把事情處理好的。』這樣我就不會再繼續唸下去了……。」

「好啦，爸爸，你不要再碎碎唸了，我自己會把事情處理好的。」小蘇姑娘笑著說。

老ㄙㄨ小語

為了我愛的家人，
我要用正向語言，
表達情緒背後的愛與擔憂，
不讓負面情緒吞沒彼此。

合宜表達情緒

成人先安頓好自己再溝通

某天，我和朋友在網路上有段精采的對話，談到要先安頓自己的情緒，孩子的行為狀況就能得到紓解。沒想到馬上派上用場⋯⋯。

小蘇姑娘正在房間做寒假作業，這項作業必須上網通過測驗，才能完成該本書的閱讀認證，並獲得積分。

她書看得快，因此有些測驗題目出得過於細節，就無法答對；只要錯超過兩題，就算是挑戰失敗。

我人在廚房洗碗，聽到房間裡傳來哀嚎聲，一題錯、兩題錯⋯⋯接著傳來大聲的怒吼和抱怨聲，持續著沒完沒了。

一直聽著這些抱怨聲，國小老師的職業病險些就要發作，本想停下手邊的工作，前去曉以大義一番。

站在流理台前的我，試著練習自我對話：「此刻我的情緒是什麼？」

「不舒服。」

「不舒服的原因來自於？」

「此刻我在忙廚房的事，但情緒卻受到了打擾。」

「心情不舒服的我在想什麼？」

「她就是挫折忍耐力不夠啊，只不過小小的測驗題目過不去，就在發脾氣。」

「那麼對等的，你在小蘇姑娘身上，看到底層裡自己最討厭自己什麼個性？」

「其實我也曾經因為無法通過小小的挫折，而對自己發脾氣，我討厭那時的自己。」

「小蘇姑娘此刻在想什麼？」

「她應該是因為延續著早上的情緒吧？……同時，她也正在討厭自己，她的情緒其實是一種求救訊號……」

我梳理完自己的情緒，才走到小蘇姑娘身旁，此刻她正躺在床上哭泣。我抱了抱她，而小蘇姑娘哭得更大聲了。我把手輕放在她肩上，問：「是難過？還是生氣呢？」引導她辨識自己的情緒。

小蘇姑娘哭著說：「兩種都有。」

我問：「是難過自己做到一半，全都前功盡棄嗎？」

「我做到一半，不知道為什麼平板又跳回首頁。」小蘇姑娘哭哭啼啼的說。

「是因為跳回首頁，所以之前的努力都不見了，很生氣，是嗎？」

小蘇姑娘哽咽的說：「因為它已經發生過很多次了。」

我試著提出建議：「房間的網路比較弱，也許跟網路有關係。」

「不是，它跟網路沒有關係。」回答完，哭得更慘了。

給孩子時間自己處理情緒

以往的經驗告訴我別太急，步調要緩一些，再緩個幾秒鐘後，我問：「所以你很生氣，覺得它怎麼會變這樣？」

小蘇姑娘點點頭，又哭了一陣子。

但說也奇怪，懷裡的哭聲漸漸變小，接著她轉身過來討抱抱。再抱一下下，小蘇姑娘停止了哭泣。我看了一下時鐘，前後不過兩分二十秒。

過了一會兒，我試探的問：「好多了嗎？」

小蘇姑娘回答：「我還是有些不開心，因為我做到第八題了。」

「你知道，雖然今天做錯了，明天也可以再補認證同一本書嗎？而且現在你已經知道對的答案，以及錯在哪裡，明天通過的速度就能更快了。」

我想幫小蘇姑娘連結一個成長型思維，告訴她此時的失敗，其實都是未來很重要的養分。

小蘇姑娘回答說知道，我又提議：「房間裡的無線網路比較不穩定，我們換另一個無線網路試試看。」

我帶著小蘇姑娘操作平板，將無線網路換成另一個，她專注於操作平板，心情似乎比較穩定了些。

隨即她做了一件令我訝異的事，她拿著平板跑到客廳，又繼續做著剛才沒有做完的閱讀認證題目。

我看了一下時鐘，這次的情緒事件前後只花了五分鐘。這如果在平時，一定是哭個沒完沒了，最後得出動我這位正義魔人，才有辦法制止這樣混亂的場面。

所謂的「沒有挫折忍耐力」，不正是我們沒有留時間讓孩子自己處理情緒嗎？那麼不論孩子的年齡，即便是這麼小的一件事情，我們都應該扮演那接起孩子情緒的示範者。

面對自己，探訪自己的內在有多深，就能同理孩子、和孩子連結得有多深。

老ㄙㄨ小語

先接納自己的情緒，
才能接起孩子的情緒；
而處理好情緒，
等於處理好了事情。

Part 2

同理心啟動學習動機

我一直提醒自己堅守那道防線——
我們是要教出會考試的機器人？
還是要教出會思考的未來大人呢？
這答案，總是讓頭腦頓時清醒多了。
「願意學習的心」是孩子一輩子要守護的寶藏，
我們不該輕易抹去。

當老師的這份工作，讓我們每年教到許多不同類型的孩子，看到他們背後的原生家庭。

而這些孩子及家庭，都會擴充我們教學經驗的資料庫，修正我們對於學習的理解與信念，讓我們能夠協助每屆孩子在學習動力上有更好的表現。

我們都知道，孩子的行為，是家庭教養的明鏡，映照出家長的價值觀或是盲點。但很多家長不知道的是，孩子的學習成績，也與家長的教養觀念密不可分。

不是說花了多少錢補習，或是爸媽做了多少強力要求，孩子的成績就會突飛猛進。不是的，這些年我看到的是，孩子的學習表現，取決於他們對於新事物的好奇、對於困難挑戰的勇氣，以及對於學習保有高昂的動機，那才是讓孩子願意投身學習的最重要關鍵。

在每一屆孩子身上，我看到高成就的學生，面對父母的高期望，總是感到痛苦不堪；看到中成就的學生，遇到困難時欠缺協助，因此對學習感到畏懼；我也看到更多低成就的學生被家長放生，成天遊蕩在電視與網路之間，從學習中逃走。

但是，我們已經身處於自學平台繁花盛開的翻轉教育年代，為何我們仍用二十年前的學習模式及價值觀，來要求我們的孩子學習？若沒有適時調整我們的老舊觀念，又如何讓孩子有能力面對詭譎多變的未來呢？

如果我們大人能真切同理孩子對於學習的複雜情緒，如果我們願意先理解孩子面對的學習困境，那麼孩子就會卸下他們的抗拒，並激發出更大的學習熱情。

這樣，孩子就能在我們的陪伴中，獲得更多力量，有更大的勇氣和信心，持續走在學習的道路上。

動機態度

啟動內在動機

不把孩子的分數，當做自己的教養成績單

家長們一定都不知道，老師每天都在教室裡充當心理師。

眼前兩位女孩正悶悶的坐在座位上，不發一語。

其實從發下數學考卷那一刻起，成績較優異的那位女孩，一直鐵青著臉。女孩考得也不算太差，至少還有八十四分，而且這考卷我出的扣分有些重，一題五分，因為都是從數學習作一字不漏考出來的。女孩不是不會解題，大多數是過程中計算錯誤。

另一位女孩也考了八十多分，下課時嚷嚷著希望今天爸爸在家，這樣她就能讓

爸爸簽名，而不是讓媽媽簽名。她還交換情報，說成績優異女孩的媽媽如何恐怖，這種成績她拿回家，肯定死定了。

但是再看到自己的國語聽考又考了八十多分，輪到她笑不出來，整個人垂頭喪氣的模樣。在應該是很歡樂的下課時分，兩位女孩難過的趴在桌上。

何必呢？八十多分，很高的分數了啊？小蘇姑娘若考了個八十多分，肯定開心的來向我報喜。而且教室的另一角落，考得比她們差的男孩們，正玩得放聲大笑。

我總是和孩子們說：「每次的評量，主要用意是發現出我們還不會的部分，並且有效率的向錯誤學習。所以若有錯，把這些錯題認真且仔細的學會就好。」

我也暗示那些懊惱成績不理想的孩子們：「如果你覺得自己已經很用心，仍然沒考出自己理想中的分數，這表示還有幾種情況：一是在平時書寫時，仍未完全弄懂題目，雖然訂正了，但只是記住別人給的公式，缺乏再次從文字中去推導出算式的解題練習。」

「另一，就是過於粗心。而『粗心』，反應出平時生活習慣就是不夠細心，才會看不到題目中的提示。必須從日常小事中去修正，把每項細節做好，這樣才能在緊張強度破表的考試中，細心檢查而不失分。」

不過，對於成績過不去的人，不是老師我，而是永遠希望孩子好還要更好的爸媽。而孩子也在緊繃的應試情緒下過不去，變成討厭自己差勁表現的不快樂孩子。

我和兩位女孩分享一些開心的事，提議她們一起來吃個點心吧？但她們仍陷在沮喪害怕的情緒裡，無法回應我。

考九十五分，真的有那麼重要嗎

類似這種畫面我看得太多了。

前幾屆的一位女孩，好幾次在我耳邊訴說著她被罰跪的故事：「當時我們全家正開心吃著飯，媽媽隨口問了一句：『你今天數學考幾分？』我回答九十二分，媽媽就叫我去罰跪……後來我跪到睡著，媽媽看了更生氣，又把我叫起來罵了一頓。」

「九十二分不是很高嗎？」我問。

「媽媽說每科不能低於九十五分。」女孩說。

「可是，那是書商編的黃色練習卷耶？配分很重，錯一題應用題就扣六分，這樣的配分很難考到九十五分。而且，我並沒有登記這些考卷的成績，那只是練習用，讓你們知道自己還不會的題型，好讓你們日後再次複習啊！」

今天的數學黃色練習卷，女孩粗心算錯三題，掉到八十八分。隨後的國語聽寫也考得不理想，她坐在座位上哭得像個淚人似的，好朋友怎麼安慰都沒有用。

她嗚咽的說：「為什麼我的『瞬間』的『瞬』不會寫？我明明會寫啊……。」說完她嚎啕大哭。

我只能在她的肩膀輕拍，給她一些力量。

我想起以前我也曾教過這樣的孩子，那女孩拿到考卷的當天，離家出走在外面遊盪，只因為怕被爸爸打而不敢回家。升國中後，因為成績一直無法達到爸爸的要求，最後重度憂鬱症發作，數次在學校眾人面前失控、崩潰。有回聚餐，我看著她手上滿滿的自殘傷疤，心都快碎了。

很多年後我才明白，不是孩子沒有面對爛分數的挫折忍耐力，而是他們畏懼回家後面對那冷酷的雙眼。

考九十五分，真的有那麼重要嗎？究竟我們想教出為自己而讀書的孩子？還是想教出因恐懼而讀書的孩子呢？

有一陣子去研習分享時，我會談到前述那位自殘女孩的故事。經常說著、說著，我自己一陣哽咽，無法言語。

我明白，那是一種遺憾。

遺憾在她國小那兩年，我未能拼湊出那些行為背後的恐懼。遺憾我沒有勇氣向她的父母傳達我所感受到的女孩的痛苦。我也遺憾如此優秀的女孩，卻因為父母錯誤的教養觀，幾乎摧毀其幸福的人生。

為此，現在當我去分享時，我總是更用力訴說著這些故事。我想傳達給現場的聽眾們，不要再用二十年前的舊思維，來逼迫孩子讀書了。而在面對班上的家長時，我變得更有勇氣和他們談論，什麼才是比較好的學習教養觀。

同時，我也逐漸修正自己的教學模式，覺察孩子的情緒，看懂他們的困境，試著用更貼近需求的教學方式來帶領他們。

Hold住孩子的學習動機

教書這些年來，看盡各類型的孩子，我常覺得，所謂的「乖孩子」，常是被馴化過的，內心有太多的壓抑，心裡都有說不出的傷痛。有的過於自責不快樂，有的任憑他人擺布而沒想法，或是不敢有想法。為什麼我們的孩子，會從活潑開朗、對世界充滿好奇，變成過度乖巧、過度怯懦的小孩？

這其實都是一種教養上的警訊，對應的是家長內在的課題。爸媽們內心隱含著童年達不到大人期望的傷痛，無處釋放的焦慮與擔憂，只能用孩子的分數當成自己的教養成績單。

但是，孩子需要的不是打罵教育，不是滿足大人控制欲的威權；孩子需要的是大人耐心且有效的引導，需要的是友善的對待與安全感。

我們必須捫心自問，我們究竟想要教出什麼樣的孩子？是擁有艱深學科知識，卻失去學習動機、對學習冷漠的孩子？還是成績不見得理想，但樂在學習之中，並且能靠自學能力追上他人？

「內在動機」理論提醒我們一件很重要的事，那就是當孩子擁有高度的內在動機時，他就能夠被激發學習鬥志，學習變得主動而積極。反之，如果孩子是因為外在因素才被驅動學習，很快的他就會失去持續投入學習的意願。

因此，引發孩子的學習動機，讓孩子持續保有學習興趣，在順位上都應該優先於學習知識。

至於如何啟動孩子的內在動機，簡單來說必須滿足人的三個關鍵心理需求：自主性、勝任感、關聯性。

自主性，就是讓孩子有自我選擇權，當他能夠有權自己決定，或選擇他想要的選項時，內心會充滿愉悅與動力，也會更加投入於其中；勝任感，就是讓孩子在這過程中覺得自己很不錯、能夠勝任此項任務，因而得到愉悅的成就感；關聯性，則是滿足孩子想與人建立關係的需求，與他人產生關懷信任的連結，因而從中得到對他人具有貢獻的自我價值感。當看到自己的需求與成長後，就會持續的投入其中。

對我而言，我最想傾全力呵護的是學生的學習興趣，激起他們對學習的熱情。所以我不只是關注他們的學習成績，還有盡可能的讓孩子不再害怕學習，並且開始愛上學習。

因此，該怎麼教？該怎麼出作業？該如何評量？該如何訂正作業及考卷？甚至是該如何提升孩子的自學力？……這些問題都曾在我的心頭縈繞許久。

而這些解答，都不斷的圍繞著「我們究竟想教出什麼樣的孩子」這問題打轉。

老ㄙㄨ小語

我最想傾全力呵護的，
是孩子的學習興趣。
所以我不只關注他們的成績，
還盡可能讓孩子不再害怕學習，
並且開始愛上學習。

累積心流經驗

守護孩子願意學習的心

下週即將期中考，走在校園裡總會感受到一股不安的氣息。尤其是近些年來，愈來愈感受到這壓力指數不斷上升。

很多孩子早已在假日時就到安親班、補習班加強衝刺，有孩子說：「老師，我們不是前一週就要到安親班報到，而是連續兩個週末，都要到安親班寫考卷……。」各班的複習考卷也沒少過，影印機瘋狂運轉。連我這樣不喜歡讓孩子們考試的老師，也得留一週幫他們複習，好幫他們通過每一次段考，以免孩子考太差，難以回家面對爸媽。

但我一直提醒自己要堅守那道防線——我們是要教出會考試的機器人？還是要

教出會思考的未來大人呢？

這答案，總是讓人頓時變得清醒多了。

教學是教思考、教能力，而非只教知識。因此考試並非是只在考記憶、考知識，而是在考試中，也能促進學生思考、培養學習的能力。

考試只是檢測學習成果的工具

每個班級的經營策略，背後都是老師的教學信念以及教育哲學觀。我相信，考試是用來檢測學習成果，好讓老師實施補救教學的工具。要考，也就要教；考後，不是死記背誦，而是理解並應用。

即便在幫孩子複習考，我也一直在思索：如何在每次小考中，促進孩子們思考、培養學習的能力？

每一張數學考卷，收回來仔細看訂正，每個錯題都要寫上錯題原因。數學小考不登記考卷考幾分，而是登記孩子們前來訂正的次數。

國語小考，則是發下考卷前，先讓孩子們讀課本及補充教材五到十分鐘，才進行小考。小考結束時，再留五到十分鐘，可翻找課本或簿本，用藍筆訂正，最後才收回來批改。我要教的是他們自己找答案、做學問的方法，提醒他們每一分都要珍惜不放棄。

社會小考仿照國語小考，先讀、才寫、後找答案，並用賓果遊戲，配合難題提問，從課本裡找答案。我盡量讓複習趣味化，同時讓孩子知道如何從課本裡找答案。做學問就要從細節著手，扎實不馬虎。

若是考前複習的進度較慢，我也會著急，但我把這份著急好好收在自己心裡，並試圖消化它，不轉移給孩子們。

我看過很多老師和爸媽因考前焦慮症發作，瘋狂用考卷淹沒孩子。但是，我們究竟傳達了什麼價值觀給孩子？我們究竟在密集小考中教出什麼樣的孩子？

這答案，看看孩子們面對考試的反應，就可以得知。

這幾天批改孩子的國語小考，上頭的造句太讓我驚豔，很多孩子不但字數破表，連造句都更加有深度。在這種錙銖必較的考卷上，不怕寫多寫錯被扣分，還洋洋灑灑的大展寫作力，我打從心裡覺得佩服，也大方為他們加分。

今天，有位程度中等的孩子，數學小考考了一百分，他默默待在我旁邊，跟我說：「老師，我有認真聽你的那句話：『錯誤，是最好的學習。』當時這單元我學得好爛，於是我就認真的面對它，沒想到竟然考了一百分，我真的好開心啊！」聽完，我拍拍他的肩，真心為他感到高興。

當然，不是所有孩子都這麼自學力爆表。但我知道，至少這樣的方向是正確的，當老師的我，願意再放慢一些步調，等著這些孩子跟上來。

我也知道，在華人世界，要想帥氣的跟考試說再見、不甩它，真的是太困難了。但是，孩子們提醒我們一件重要的事，就是在焦慮的考試中，還有一種很珍貴的特質不容忽視，那就是孩子們願意學習的心，願意持續思考的內在動機。

那可是孩子一輩子要守護的寶藏，我們不該輕易的抹去它。

感受到學習的快樂

放學前，我向男孩提議：「要不要留下來，把均一教育平台的習題做完？」

意外的，男孩說了聲「好」。

這個均一習題已經卡住他兩天了，全班只剩他沒有通過，說真的他有些小尷尬。先前我一直說要幫他，但個性能拖就拖的他，始終很抗拒，他只想要好朋友幫他完成就好。

男孩這拗脾氣，我在上一屆班級裡見多了。這些男孩們的內心，常隱含著很大的情緒，對外呈現強勢、霸道的性格，常會做出一些違反規定的對立行為，對學習總是逃避或抗拒，對人故意呈現很冷漠的姿態。

現在的我很懂他們，他們的內在就是害怕啊！於是乾脆武裝自己，不讓人親近。但是他們的內在也渴望被讚美、渴望有人愛。只是表現出來的行為舉止，就是彆扭得不像話。

所以，我也一直尋找著融化這男孩的突破點。

我請男孩坐在我旁邊，請他打開平板，一題一題陪著他算。「你先說看看這一題怎麼算……沒錯，這樣的解法沒錯，你自己算看看。」

只是我才一回神，男孩又答錯了。「什麼？呃，原來你是計算錯誤，好吧，再來一題，這題我們小心一點，你要送出答案前，先讓我檢查看看。」

我在一旁觀看男孩算數學，發現其實基本公式他都會，只是在計算過程中容易出錯；而且一出錯後，男孩的情緒就會上來，開始自我放棄。

所以我不斷以讚美支撐他的努力：「對，不錯哦，你其實都懂耶……你有一個還算聰明的頭腦，要好好磨亮它……我有感受到你想弄懂的決心，加油！」

我發現男孩還有另一個學習問題，就是習慣用直式計算。一開始在擬定解題策略時，他都說得頭頭是道，但習於用直式計算，一算完，就忘了這數字代表什麼意思，以至於沒有辦法繼續算下去。

我請他先寫出橫式，以確保之後的運算過程都能依照這個方向前進，並且持續追問他每個數字的意義以及單位。在橫式的引導，以及不斷確認每個數字代表的含意之後，男孩逐漸掌握解題技巧，很快就把題目算出來。

這個卡住他兩天的任務，就在十分鐘內完全解決。我看了後台數據，才五題的習題，他竟然卡住了六十題？我們都鬆了一口氣，我為他感到歡呼，他則是一臉酷酷的笑著。

我特地頒給他一張小獎卡，讚美他：「老師要謝謝你這麼努力，你今天願意留下來把數學學好，真為你感到開心。」

這時，男孩說：「老師，我可以留在教室，把今天的作業都寫完嗎？」

「當然歡迎啊！」

男孩留在教室裡，繼續把今天數學考卷上面的錯題，從頭到尾都訂正完了。有不會的題目，他會主動問我；若是發現他自己會算，他會跟我詳細解釋為什麼計算錯誤。這一張原本可能要花去他很久時間的訂正作業，也很快在十分鐘內完成。

他就默默地坐在我的身邊一個多小時，除了把今天的作業全部寫完，還主動要了一張明天的作業，並且寫完了它。

男孩說：「哇，時間過得好快喔！」

我說：「那是因為你很專注在學習裡啊！」

我對男孩說：「老師一直想要傳達給你的就是這種感覺，希望你能明白學習不是一件痛苦的事情，而是一件很有成就感的事情。你可以開心的對自己說：『哈，其實我也不差！其實，只要我願意，我也是可以追得上別人的！』希望你能一直感受到這種學習的快樂。」

此時，背著書包要離開教室的男孩，轉身對我說：「有哦，老師，此刻我有感受到學習的快樂哦！」

讓學習熱情像野火般熱烈引爆開

常常覺得所謂的「補救教學」，就是有效率的陪伴而已。

先陪伴了，就會看見孩子之前的學習問題，診斷出究竟是在哪個起始點卡關，再給予跨越的方法，並且反覆精熟練習，最後再慢慢拉回到原本的題目，繼續把學習的鷹架搭上去。

女孩最近的學習動機異常高昂，總是一早就來問可不可以教她數學。當然要抓住這難得的瞬間，把學習之火燒得更熾熱些。

所以今天放學後的補救教學，就從數習作業開始。她寫完一題，我就核對一題，答案不對，就立即協助。女孩雖然最近上課有比較認真，但學習成效太過片段，有些模糊不清的地方，需要再幫她重新釐清且銜接。「比和比值」這單元，很適合讓她進行統整性的補救。

「要小心比和比值的差異。」

「這裡可以約分，最簡整數比就是把前項、後項約乾淨。」

「小數也可以約分哦！前項救一位的小數，後項也可以救一位的小數。」

「對了，太棒了，你約正確了，答對了耶！你看，雖然題目看起來很嚇人，但其實方法都一樣。」

除了給予方法之外，讚美的支撐力量也從來沒停過。

「天啊，你真的會了耶！」

「我發現老師在上課說的，你都有在聽耶！你懂老師在說什麼。」

「我真的覺得你好有頭腦，可以馬上理解老師在說什麼，你不讀書實在是太可惜了。」

很快的，題目來到魔王題，「分數」比上「小數」，對分數和小數沒有太有概念的孩子，這題根本就直接舉白旗投降了。

「別急，先把前項的分數整理好，變成假分數。後項的小數，也要變成分數。」

我看到女孩眼中的遲疑，「一．二五不知道怎麼變成分數，對嗎？」

女孩點點頭，所以我簡單提點一番。

「對啦，好厲害，再約分下去。」我繼續出題，「那三．七五如何變成分數呢？」

「天啊，你真的會了。那二．四呢？」

「我的媽呀，你好強！那三〇．〇八呢？這很難哦！」

「天啊，你也會了？我就說你有個好頭腦嘛！」

我覺得自己像是個綜藝節目搞笑主持人，而女孩也一直抿著笑，跟著我的激勵持續前進。

然後我們又回到題目，從同樣化為分數，再約分，再擴分成整數，再約分。好不容易把題目算完。

接著是「後設認知」出場。

我請女孩把這些所有步驟讀熟，想清楚是怎麼算出來的，並且向我解釋一遍。最後，在空白紙上，由她自己重新算一遍，把每個解題步驟寫清楚。

「天啊，你真的會算耶！你有把我教的東西都學起來，你好強喔！所以你真的只是不讀書而已，你其實有一些基本能力在，只是平常上課時都感覺不到你的投入，但此刻，我感受到了你的努力。」

天色已黑，她該回家了，否則還要再讓她反覆練習類似題型。不過我們已經相當滿意今天的進度了。

再次肯定孩子的突破

她離開前，我想為她打氣一番。我說：「一定要好好跟你說一件事情，我覺得你真的是有可以學習的頭腦，你自己覺得呢？」

女孩笑著說：「我覺得我數學還可以，但國語不行。」

「好啊，那我們就從數學來加強。不過，如果你以後想要做一位YouTuber的話，你一定要知道哪些字怎麼寫、句子怎麼用、怎樣講話才會比較文雅，這些都需要語文的基礎。當一位YouTuber，若常寫錯字，會被你的粉絲取笑。

而且YouTuber要很會講話、很會表達、要有自己獨特的想法，才能讓別人專心的聽你講話。就像此刻你也很專心聽我說話一樣，這種說服別人的能力，需要不斷深化與練習。你如果在小學就放棄語文的話，真的很可惜。

回到數學上，你剛才算的那題，其實是最難的一題，如果你會算了，很多題目都可以拿到分數了。很多人我教他，他不見得能懂，但你能理解，所以你是能讀書的小孩。不過要記得隨時複習，我把這張紙夾在這裡，你若忘記怎麼算，可以隨時再複習這些解題的步驟。

最後，一定要記得剛才算數學的感覺，把一個難題解開後，是不是有一種快樂的感覺？」

女孩說：「對呀，而且時間過好快啊！」

我笑著說：「這叫做『心流經驗』，就是你在投入學習時，不知不覺時間就會特別快，而且你會覺得好快樂。你在讀書方面，曾經有過這種心流經驗嗎？」

女孩說：「看影片時有，但讀書方面，從幼稚園到現在都不曾有過。」

我說：「這種心流經驗，會帶給人很充實又滿足的感覺。以前沒有沒關係，從現在起，我們每天都來創造一點點的心流經驗，每天都享受在那種學習很充實、很快樂的感覺裡，好嗎？」

女孩開開心心的回家了，下星期一，她肯定還會懇求能不能留下來算數學。

別問我女孩為何終於開竅想學習了，因為我也納悶了很久。

但開心的是，那封印很久的學習動機，終於甦醒，期待女孩的學習熱情像野火般熱烈燃燒、引爆開來吧！

老ㄙㄨ小語

希望孩子明白，
學習並不痛苦，
而是一件很有成就感的事，
且能開心對自己說：
只要我願意，
我也是可以追得上別人的！

破除成績迷思

答錯，是另一層次的學習

「訂正，即是最好的補救教學！」很多家長搞錯了重點，寫再多的評量或考卷，都不如老老實實的弄懂一份作業。

但每次收回學生的作業，發現學生會把當天作業寫完，卻不願花時間往前翻，訂正前一天作業，也鮮少看到家長會主動要求孩子訂正作業。

寫完作業，卻忽視錯誤的地方，代表孩子並不是為自己而寫，只是把它當成應付大人的苦差事。只答對自己會的，把不會的視而不見，說穿了，效果等於白寫。

只是所謂的「訂正」，就只是追著學生要正確答案而已嗎？或者是，能讓訂正成為能力的培養，甚至是自我學習的展現呢？

訂正的重要性

在我的班上，作業寫錯了沒關係，考試答錯了也沒關係，重要的是要把錯誤、不會的題目弄懂訂正好。

為了破除爸媽和學生對於分數及標準答案的迷思，我不登記完美作業的成績，反過來只登記訂正的分數。所有簿本採加分制，寫錯不扣分，只要有訂正、有寫出為何算錯的原因，或事先保留訂正足跡，即每頁每處加一到兩分，除非當次沒訂正，才扣一到三分。簿本先給基本分，加分後若超過一百分，還可以繼續往上加。

訂正作業時，孩子除了要保留原有的錯誤答案及計算過程，並用不同顏色的筆寫上正確的解法，還要比較前後算法的差異，寫出自己為何算錯的原因（最近連國語科的選擇題都要寫），在訂正時還要不斷被老師追著問為什麼。

我始終相信，答錯了，是另一層次的學習。

今天讓全班一起來訂正數學考卷，一個個孩子排在我身旁，我一題一題看他們考卷上所寫的解釋原因。

寫不清楚的，就指著題目問他：「這題為什麼算錯？」

「因為我移過去，還是用除的。」

我繼續追問：「為什麼移項要用乘的？」

孩子說：「因為……（以下省略一百字）」

下一位孩子來，我問：「這題為什麼算錯？寫這樣看不懂。」

「因為這題不能加一。」

「那你為什麼加一？加一後代表什麼？不加一又代表什麼？」

孩子：「因為……（以下繼續省略一百字）」

「不對，這些題目不能用背的加一或減一，所以為什麼要加一？」

回答得出來的孩子，就放他回去；回答得不清不楚的，就逮到機會好好教他。

教完後，讓他自己再說一遍解法。說完，再回去重新寫上錯誤原因及正確解法。

才一張考卷或一份作業，就把我累得半死，這可是二十七人的家教班啊！

雖然這樣的要求與堅持，讓我批改作業時間，比其他老師多出好幾倍。但我也發現長期實施下來，孩子確實能看到自己的學習問題，更清楚看到數學解題的思考脈絡。現在再加入放聲思考的訓練讓孩子說出他的思考過程，無形中他們也愈來愈有表達的勇氣與能力。

回到家後，我也是這麼要求小蘇姑娘的課業。

我們先從答錯的題目著手，用便利貼蓋住先前的答錯答案，再拿出計算紙在一旁重算一遍。既可以節省複習時間，還可精準聚焦並複習。

就算寫評量裡的新題型也是，不用多，但要弄懂。幫她改完後，請她自己比較並思考，說出哪裡算錯。

當孩子高呼著：「啊，我知道這裡加錯了。」就等於她把自己重新教過一遍了。我想，這才是真正對孩子有幫助的補救教學。

老ㄙㄨ小語

當孩子透過訂正，

學會不懂的地方。

才是真正有幫助的補救教學。

培養主動積極

從不起眼的生活小事著手

前陣子班上活動多，畢業美展、國中美術班升學考試、期中考全撞在一起。孩子們被淹沒在忙亂的生活裡，失去原先該有的穩定性與專注力。因此每天班上紛爭不斷，該遵守的生活常規、該完成的作業全都狀況頻頻。

距離畢業還有兩個多月，我思考著還能做些什麼，讓孩子們找回平穩的心境，把全班的團結心找回來。

透過主題式寫作學習反思

照例讓孩子們透過書寫的方式，從覺察自己的生活表現開始，再到個人的學習狀態、與他人的聯結。

從內到外，每天針對「反思」主題依序書寫：「最近的生活表現」、「最近的學習態度」、「與同學的相處」、「與爸媽的相處」和「與老師的相處」。

有孩子說：「我最近又開始分心了，數學一直卡關，因為上課總是分心，回家也不認真算數學，我真的應該要認真一點。」

「最近大家都很冷漠，上課時老師說的話，我們常會裝作沒聽到，或是以為別人會做，所以都很被動，需要讓老師說很多遍後，才有反應。」

「有時被老師提醒，我都會露出滿臉不悅的表情，裝作自己很無辜。可是明明是自己犯了嚴重的錯誤，沒有好好反省，反而還和老師大眼瞪小眼的。」

教書多年的經驗提醒了我，孩子的內心想法與平時表現，是兩個截然不同的平行宇宙。

平時莽莽撞撞、桀驁不馴的孩子，內心其實單純得可愛。透過書寫，他們平心靜氣覺察自己的狀態，反思沒做好的部分，也在文字裡期許自己有更好的表現。

也因此在面對孩子時，我也總會給予多一些柔軟與彈性。因為我知道眼前的孩子，只是被忙亂生活困住，我應該保有更大的包容與智慧才是。

主動週學習身體力行

連續一週的反思短文，讓我看見孩子們的真心。但那句「很被動，需要讓老師說很多遍」，卻讓我陷入長長的沉思。

孩子們的確在反思能力有很大的進步，能針對一件小事做深入且多方面的思考。然而，他們最大的問題在於「能反思，卻無法化為一種身體力行的實踐」。

於是我設計一張「主動週」學習單，請孩子們每天主動在學校及家裡完成各五件事項，填寫在學習單上，並寫上心得感想，讓爸媽簽名認證後，才算完成當天的作業。連續五天、累積五十件主動積極的事項，就能通過主動週的大考驗了。

我在學習單留下這段文字：「這世界需要每一個你我，主動積極，捲起袖子，讓世界變得更美好！」希望透過這樣一日復一日的身體力行，讓孩子們逐步培養服務的習慣，進而體會主動積極所帶來的效益與樂趣。

第一天試行，發現孩子們主動幫忙的事項天馬行空，小至撿垃圾、幫忙提重物，大至協助洗碗、煮飯、倒垃圾……連分享的心得也好可愛，讓人看了忍不住會心一笑。

孩子說：「主動週的第一天，我只能說做家事好辛苦，媽媽真的好厲害啊！」、「我剛開始是以應付功課的心態做事，但做完後，我真的感到滿開心的。」

經過每天的實踐與書寫，孩子們慢慢習慣並愛上這樣的模式，更多令人吃驚的主動事項，如雨後春筍般冒出，甚至有「幫已睡覺的媽媽蓋好被子，並且幫媽媽按摩硬邦邦的腳」、「我知道爸爸怕熱，所以我主動幫爸爸開電風扇，把爸爸要睡覺的地方弄涼一點，讓爸爸可以舒服一些」這種現代黃香的三十六孝行為。

在每一格中蓋上小小的「優」字印章，已經無法表達我的驚訝，所以我將更獨特、前所未見的大善行，畫上一顆星星，並寫上我的感想。

這樣正向的回饋，讓孩子們更加的投入，有孩子說：「早修後，最期待老師發下改完的主動學習單，因為可以看到老師對我的評語，老師的評語可說是我活下去的勇氣。」

這個主動週連續實施了兩週，並讓孩子們針對這十四天實踐，寫下一篇回顧心得。隔了兩個星期，又再度進入第三次的主動週。

剛開始孩子們說：「我實在是沒料到會出現第三張學習單，真是嚇死寶寶了！」但是隨著主動週持續實施，也出現這樣有意思的感想：「今天我看到好多人都很主動，我要愈來愈主動了，這學習單實在好厲害！」

小旻說：「以前不懂，但這些日子下來，我反省了許多，讓我知道媽媽老是在碎唸的『互相』是什麼。像我在學習單裡寫的：『一點點的小事，就可以讓人的心暖烘烘的。』我以後不會有那麼多怨言，謝謝老師辦的主動週，讓我受益良多。」

從被動到主動，從無感到有感，我看到了恆毅力落實於培養孩子主動積極態度時的驚人成效。

畢業前倒數日記，凝聚全班共識

主動週活動，帶給孩子們主動和積極的生活習慣，但我更希望能在畢業前，串聯整個班散落的心，將班級凝聚成更富有感情的大家庭。

我說：「從今天起一直到畢業，老師不會再出任何題目的短文了。請隨著你的心，每天記錄你想說的話、任何想留下的回憶，寫下屬於你自己的故事。」

該是時候了，去掉我給予的學習鷹架，讓孩子們擁有為自己發聲的主權。

孩子們先是一陣遲疑、困惑，然後變得眉開眼笑。一篇一篇富有情感的文字，不管是反思、畢業感言、當日大事，或是寫給老師的感言，都毫無束縛的從聯絡簿裡迸發出光采來。

一開始，還是有孩子在文字裡檢討他人，但隨著相聚日子一天天減少，孩子們的筆調變了，變得感性而不捨。

曾被霸凌想轉學的女孩，每天都因畢業倒數而捨不得想哭。

原來只要情緒一上來，就會對人言語不客氣的男孩，說他不再吵架，要學會包容他人。

常冷漠看著他人的優等生，說他終於可以把每天犯錯、出言不遜的同學看成活潑與直爽，只回想同學的好。

甚至有女孩說，希望能像小王子和狐狸的故事，在畢業前成功馴養老師，而看到我回覆她「你有成功馴養老師」，她感到又驚又喜。

曾被排擠的女孩說：「傍晚，我仰望著星空，訴說著這四年來發生的點點滴滴以及有趣的故事，我們學會了以愛馴養與分享的道理。我閉上眼睛，星空對著我說話，我知道我很捨不得這個班，更捨不得教我那麼多道理的老師們。我的心裡好想哭。雖然在這些過程中，常常吃到一些苦頭，但也在這過程中發現，真正關心我的人，一直都在我身邊，原來我一直都不孤單。」

這篇短文讓我看得好感動。說真的，這班級的確是讓我費盡心力，但把時間軸拉長來看，此刻我的心中充滿感謝。

謝謝這些孩子願意放下自我，相信老師，一步一步蛻變成更好的自己。

謝謝上天所帶給我最棒的禮物，教會我在那些掙扎、糾結的日子裡，看見自己的不足，找到仍然想帶著孩子們前進的正能量！

老ムメ小語

孩子的想法和表現，
其實是截然不同的平行宇宙。
透過書寫，
讓孩子察覺自身狀態，
也對自己許下期待。

勇於面對挑戰

比「學不學才藝」更重要的事

除了花錢讓孩子補習、上安親班，您也會安排孩子上才藝課嗎？

很多年前，我曾經因「小孩應不應該上才藝課」和朋友起爭執。朋友不解，為何讓小蘇姑娘那麼小就學小提琴？朋友說，她自己因為從小被爸媽押著學鋼琴，以至於長大後不願意再碰琴。

其實，起初我也是投反對票的那位。

我出身於「無為而治」的家庭，從小每天都在巷弄間與同伴玩耍嬉鬧。我真心覺得，小孩的生活不該塞入太多才藝課，玩耍才是這年紀孩子該做的事。從「玩」之中，能盡情儲存快樂的養分；也從「玩」之中，學習體能和品格的各種能力。

只是我家的指揮媽咪，自有她的看法。她說學音樂帶給她不一樣的人生風景，例如：對美學的賞析能力、音樂的基本素養、穩健自信的台風、專注力、挫折忍耐力、迅速應變能力……因為有丈母娘的溫柔堅持，長大後的她才能在音樂路上勇敢追夢。

既然專業人士都這麼說了，大戰三百回合後，我只好默默接受、靜觀其變。學琴的初期真的辛苦，不管是對於學琴的小蘇姑娘或陪伴的爸媽來說，皆是如此。小蘇姑娘喜歡上課卻不喜歡練琴，有時候遇到較難的段落，就會哭哭啼啼、自暴自棄；但在專業且溫柔的老師與媽媽的協助下，又持續向前推進。

我常坐在一旁觀看她上課，幾年下來，我發現她真的成長很多，手的小肌肉發展較好了，理解和記憶較為成熟了，她能夠詮釋一首首動人的曲子，臉上也展現自信的笑容。

不過指揮媽咪因為工作的關係，經常晚上不在家，協助練琴這個重擔，就落在我頭上。有時候實在是聽不下去，只好老身親自下馬調教。

老爸的陪練功課

雖然老爸我沒學過小提琴，但好歹也當了很久的小學老師，深知有效率的學習，是從錯誤中練習並強化。

「不要每次從頭到尾拉到完，一句一句拉，每句拉五次，這句練熟了，再往下一句走……這句太熟了，不用練，跳過！（傳來小妞的歡呼聲）」

當兵時學的單兵基本教練，此時也可以派上用場，將每個動作進行拆解與練習：「這句怪怪的，音不太準……是這兩個音，再練幾次……非常好，準了，整句再練看看。」

讚美，絕對是最厲害的武器。「這句的節奏是叭～叭叭叭叭，叭～叭叭叭叭，拉對了，就說你做得到嘛……這裡放慢再拉，這兩顆音再慢一點重拉，哇，這句拉得好好聽哦！」

最後在父女倆互相傷害聽力一整晚後，整首曲子雖沒多好聽，但至少不會再像殺雞般可怕。開玩笑，就算老爸我沒學過小提琴，但至少我當過兵啊，也算是教得一「口」好琴。

孩子享受學習樂趣更重要

最近，因為小蘇姑娘考進學校的打擊樂團，每星期都要交影音作業，因此下班後，我又得兼差扮演音樂老師。一樣坐在她身旁，從單兵分解動作開始，從不熟處一小節又一小節的練習。

只是，因為加入打擊樂課，小提琴課無限期暫停，不過她和指揮媽咪倒看得很開。畢竟對她們而言，學音樂是為了興趣，「持續保有興趣」比起「分身乏術的無心學習」更為重要。

我覺得可惜，偷偷問小蘇姑娘：「你有沒有曾經因為拉小提琴，而感到很開心過？」

小蘇姑娘回答：「有啊……當我拉一首曲子，拉得很好的時候。」

我又問：「那麼，『一首很難的曲子，練很久終於練好了』而感到的快樂，與

『一首簡單的曲子，不用怎麼練就拉好』而感到的快樂，你覺得哪種更快樂？」

小蘇姑娘想了想，說：「當然是第一種……因為第一種快樂，才是真的有在學習。」原來，小蘇姑娘真的懂。

也因此，多年前與朋友關於學才藝的爭執，在這些年之後，我心中有了比較清楚的答案。

學才藝的本身並無關好壞，重要的是父母的陪伴。

孩子在學習過程中，肯定會遇上困難，想放棄、偷懶是人之常情。但因為有溫暖的陪伴與協助，孩子才有興趣投入練習，也更有力量面對挑戰。

無論學什麼，不也都是如此？學習的可貴，是享受面對困難的過程，而非耀眼的學習成果。那麼，細心呵護孩子在過程中高昂的學習興趣，就顯得格外重要！

老ㄙㄨ小語

孩子在學習過程中，

肯定會遇上困難，

這時，父母的陪伴與鼓勵很關鍵，

是孩子面對挑戰的重要力量。

迎接成長旅程

六個給小一新鮮人的禮物

嗨，我親愛的寶貝：

上星期六，是你的幼兒園畢業典禮。我站在台下，就像許多眼神熱切的家長，露出奇妙又複雜的微笑。望著台上熱歌勁舞的你，內心真是五味雜陳。原來，這就是參加孩子畢業典禮的心情啊！

前陣子，你還是抱在懷裡的小娃，天天哭著要人幫忙餵奶、換尿布；明明你才剛進幼兒園就讀，擔心你適應不良，我還寫了一篇悲情老爸揪心文……沒想到一轉眼，你又將邁進人生的另一個階段。

你即將邁入小學的新生活，而我也將變身成一位新生家長。身為一位小學老師，說心裡不緊張是騙人的。畢竟我深知國小的學習環境，極少的教學資源、狹窄的活動空間、沉重的學習壓力、過多的嚴格規範，還有同儕間複雜的人際關係……但是我也清楚知道，這是你成長必經的生命旅程。我必須學習用更寬廣、更祝福的心情，來歡迎你小一新身分的到來。

希望爸比這些愛的小叮嚀，能陪伴你在小學階段過得更順利。

叮嚀1、養成規律作息，為學習帶來效能

對於一向晚睡的你，早起這件事情，開學後勢必成為每天的大難題。爸比知道，你是想等媽咪下班，多爭取與她相處的時間，因此捨不得睡。但是早一點睡，才能多存一點元氣，隔天才能頭腦清醒、情緒穩定的在學校裡學習，也才能有更多氣力和同學一起玩耍。

規律的作息還包括：課後的多元學習、回家作業的完成、休閒活動、興趣培養、上床睡覺、早起用餐……這些都需要全家一起把生活作息規範好。

長久的教學經驗提醒爸比：愈早擁有規律作息的學生，心性就愈穩定，在學習上會有更好的表現。

爸比也清楚，這需要家長共同努力。爸比和媽咪已經約定好，接下來我們要調整工作的性質，盡量把下午及晚上的工作排開，找出更多陪伴你的時間。所以請不用太擔心，我們全家一起來把生活作息調整好。

叮嚀2、建立自學習慣，為未來做好準備

還記得小時候爸比帶你去逛書局，你拿著「ㄅㄆㄇ」練習本和算術本開心的跑來說你想寫，我苦笑著說：「以後上小學，有的是機會寫作業。」沒想到這一天這麼快就來了。

爸比在一旁看著你，發現你對學習有高度的興趣，對新事物有旺盛的好奇心。爸比很希望你進入小學後，還能保有這種對學習的主動性。

未來，每天除了寫完功課，爸比會幫你安排一小段的「自我學習時間」。在這

段時間，你可以為自己安排喜歡的學習類型，也許是閱讀、畫畫，或是運用線上平台進行自學。遠離3C產品的誘惑與聲光刺激的干擾，盡情享受自我規劃及靜態學習的樂趣。

叮嚀3、自動自發把事情做好，贏得他人信任

上小學後的第一印象，你會發現老師變得稍微嚴格一些，可能你會感到小小的緊張。但是請不要過於焦慮，那是因為老師要為大家建立良好的規範。只要主動把事情做好，不缺交作業、遵守班上的常規、友愛同學、尊敬師長……老師愛你都來不及了，怎會捨得罵呢？

你也會發現，每天生活過得忙亂、東西丟三落四的同學，最容易受到老師的指責。所以作業請一定要每天主動完成，老師們都喜歡有積極學習態度的學生。

其次，每天該帶的學用品、該繳交的回條通知等，都要在前一天睡覺前就準備好，自己先檢查一遍，再放入書包內。

因為爸比和媽咪在其他地方工作忙碌，無法幫你送達你忘了帶的學用品，所以請你務必學會把自己的東西帶齊，盡量不要造成老師的困擾，因為這是學習為自己的人生負責任的態度。

叮嚀4、不任意批評同學，對弱勢者給予同理心

「人際關係」，是接下來你愈來愈感到困惑的課題。因為我們在群體生活中，必須與許多人互動，會與他人產生許多摩擦。但說真的，擁有良好的人際關係，會讓我們的生活產生更愉悅的感受。

爸比小時候是一位很沒有自信的小孩，所以我總是默默躲在人群中，希望別人能來欣賞我的優點；但長久下來，造成我在面對陌生人時，總是感到極度的不自在，一直對於社交活動感到畏懼。

我相信，你有遺傳到媽咪個性開朗的一面，建議你每天認識一位新朋友，多和班上不熟的同學互動，善用你的好奇心，從別人的故事裡學習到不一樣的人生觀。

爸比也觀察到，有些人際關係不好的同學，往往是善於批評的人。他們習於用負面的角度來批判他人的作為，或嘲笑他人的缺失；但是這樣往往會失去別人的信賴。你一定會遇到令人很不舒服的人事物，但事情都有正反兩面，少批評多肯定，記得多用欣賞和正向的角度來觀看。

同時，班上肯定有像爸比這種小時候受到排擠的同學，請試著對他們伸出溫暖的手。他們需要的是幫助而非嘲笑，對他們給予協助而不是斥責，試著為他們在黑暗的世界裡，帶來一道光。

叮嚀5、多親近大自然，培養體力與觀察力

你是一位住在都市裡的孩子，很可惜你的成長周遭較少大自然的環境。也原諒爸比和媽咪總是過於忙碌，讓你不自覺中成為一位「大自然缺失症」的孩子。

爸比一直都記得，小時候每天和同伴在巷口玩耍、追逐的回憶，也很難忘那些爬樹、聞花香、在大自然裡露營的笑聲。爸比相信童年時期在大自然裡玩耍的記

憶，會是成長過程中很重要的養分。所以之後爸比會努力把假期時間空下來，有機會就帶你去大自然裡跑跑跳跳。

爸比也要鼓勵你，下課時間別老待在教室裡，記得和同學到校園的各個角落走走。校園算是我們最容易親近的大自然環境了，去撫摸樹皮的紋路，觀察每一朵盛開的花朵，輕踩著綠草地，仰望藍天白雲，在玩耍中訓練你的觀察力，也為童年多存一點美麗的記憶。

叮嚀6、常懷感恩的心，順境與逆境都是上天給的禮物

能遇到懂你的老師、知心的朋友，是美好的緣分；遇到需要磨合的班級，則是上天給的學習。順境是幸運，逆境是禮物，這些全都是讓你學習成為一個更完整的大人。

爸比和媽咪都會一直用正向、積極的態度，陪伴你面對每一次的全新挑戰。祝福你小一生活健康平安，一直快樂的、學習力滿滿的度過每一天！

6個上小學須培養的能力

1. 養成規律作息
2. 建立自學習慣
3. 自發把事情做好
4. 不任意批評同學
5. 多親近大自然
6. 常懷感恩的心

閱讀寫作

深層自我對話

寫作力，是串聯多種能力的關鍵

閱讀與寫作，是培養孩子同理心最佳的方式之一。閱讀，讓孩子柔軟心性，看見他人的需求；寫作則統整思緒，深化思考的內涵。

愈來愈覺得，寫作與我的班級經營密不可分……。

這學期連著在兩次段考的國語考卷中，出現了作文大題。評分標準很人性化，錯字和標點符號不扣分，主要是鼓勵孩子樂於寫作。

對於班上孩子，寫這樣的命題作文應該是小蛋糕一塊吧，因為他們每天都在寫短文。最近推行的五星級造句法，也讓他們對於考卷裡的寫作充滿興趣。

這次的作文主題是「飲食文學」，命題老師請孩子們就自己的生活經驗，以描述個人飲食生活的體驗、料理的美味，或是藉由飲食抒發個人情感與回憶，寫一篇一百字以內的飲食短文。

讓我特別驚訝的是，那位不愛寫作業、每天苦著一張臉寫短文的男孩，在考卷上寫出一篇精采的捕魚食記：「有天去寺廟時，爸爸突然問我：『要去抓魚嗎？』我當下連忙答應。我們抓了很多蝦子和魚，抓上岸後，爸爸馬上刀起刀落的把內臟取出，並且快速的下油鍋。這時，『滋滋滋』的聲音發出，我也聞到陣陣的魚香。上菜了！一口咬下，這軟爛的魚肉，魚骨也不用吐，真令人滿足！」

想必那天，男孩和父親有一段相當愉快的父子互動。

也有孩子們寫著在教室裡吃麵包，還有烤地瓜、喝綠豆湯的回憶，平時惜字如金的女孩寫下：「老師經常在下午時做麵包給我們吃，總會讓我想到以前在幼兒園時，大家一起吃點心的場景。現在全班同學一邊享用老師做的愛心麵包，一邊聊著天，有一種歡樂的感覺。謝謝老師，讓我想起以前小時候那種快樂的回憶！」

很開心，也很感動。在心情很緊張、時間緊湊、極有可能寫不完的三大面考卷上，孩子們仍願意書寫著他們過往的回憶，在小小的方格之間，構築出一個個美好且難忘的世界。

對我而言，寫作是思考的整合，寫作是表達的能力，寫作像呼吸一樣的自然，因此每天應該鍛鍊寫作肌肉。

寫作更是培養同理心的溫柔沃土，沉靜的寫作氛圍中，能帶領我們沉思並與深層自我對話；同時在多重視角的轉換中，我們可以同理他人的思維脈絡，覺察到更多溫暖心意的情感流動。

就像男孩寫道：「幾天前，班上一位同學帶了他媽媽做的綠豆湯來請大家喝。因為味道很淡，所以很多同學都一直說『不夠甜』。但我覺得特別的甜，因為那碗綠豆湯裡，有著同學媽媽特別的心意。我在心中收到了那份心意，那是我喝過最好喝、最甜的綠豆湯了。」

寫作延續了同理心的滋長，也因此，總會不經意的，為我們展現一個又一個迷人的故事，在忙碌的日復一日中，輕輕柔柔的療癒著彼此。

在教室裡長期經營寫作的老師，就會懂我在說什麼。因為我們總是在孩子們的文字裡收穫更多。

老ㄙㄨ小語

寫作，

是思考的整合、表達的訓練，

更是培養同理心的溫柔沃土，

帶領我們沉思並與自我對話，

開啟多重視角，

覺察更多溫暖。

理性分析觀點

從寫作中，學習如何與他人溝通

「議論文，就是一種『說服』的過程。」

我好喜歡教議論文，教到〈明智的抉擇〉這一課，我忙著教孩子如何分析論點、論據、論證、方法、結論，我說：「來來來，你們來讀看看，作者舉的這兩個論據，有沒有『說服』你們？」

事實上，關於「說服」這兩個字，我實在是太有感而發了。

我說：「為什麼我們要好好學議論文，正因為我們是文明人，所以要用『道理』來『說服』別人，而不是用『情緒』來『勒索』他人。」

「前幾年，《情緒勒索》這本書創造極佳的銷售量，幾乎人手一書。這主要是因為我們華人世界常以情緒來壓制別人，例如用生氣、哭泣或強迫的情緒，來逼迫對方妥協，但這是不對的。」

「說道理說到讓對方無話可反駁、被你的說法吸引，那你就贏了，因為你成功說服他了。所以你要舉出適宜的論據、證據來說服他人。」

「但是，『說服』不是一次就可以成功，因為要說服他人不是一件容易的事，大家都站在不同的山頭向下觀戰，誰也不想讓誰。」

「因此，說服的過程可能不只一次，一次不成，再來一次；第二次不成功，再來一次……一次又一次，不放棄初衷，對方總會有被打動的一次。」

一個深刻體會的「說服」故事

我和孩子們分享我的經驗，一個讓我深刻體會到究竟什麼是「說服」的故事。

高中升大學的那年，因為大學聯考的數學科考得奇差無比，考試心情大受影響，成績跟自己預期相去甚遠，大概落在師範院校的區段，當時我爸就遊說我選填師院，當一位老師。

我壓根就沒有想過要當一位老師！

那時的我，內向害羞根本到達人生的巔峰。每回只要遇見老師，我就會渾身發抖。這樣的我怎麼可能去當一位老師呢？「不不不，我不要！」我對我爸這麼說。

「當老師很好哇，工作穩定又是鐵飯碗，沒啥變動，可以當到退休。」

我鐵了心腸回他：「我才不想一份沒變動的工作做三十年咧！我喜歡接受挑戰。」

我爸氣得揚長而去。

但隔天，他又重整旗鼓前來說服我：「我有一個結拜兄弟，他也是國小老師，夫妻兩人都是老師，現在日子過得很好。」

「那是他們，我是我，他們跟我沒關係。我會努力找一份好工作，養活我自己的。」

我家老爸又氣得咒罵幾句後離開。

但隔天他又再來，這次打悲情牌：「進仔，我們家很窮，付不起私立大學的學費……」

「我會努力的填完所有可以填寫的國立大學，上大學後，也會馬上去打工賺生活費。」

我老爸又被我對得啞口無言。

但隔天，不，是整個暑假，我都得應付我老爸頑強的毅力。

我爸不知哪找來的一大堆說客：我姑姑、高中老師、高中主任、村莊裡的國小老師……每隔幾天，不是請到家裡和我對談，要不就是在電話和我心理輔導。雖然，每回都被我的說法堵得無話可說。不得不說，當時我不知道哪來的熊心豹子膽，敢如此堅持自己的想法。

不過，後來，我還是被老爸說服了，去讀了師院，後來也成為如今大家熟知的「老ㄙㄨ」。

應該說，我是被我老爸的毅力所說服的。他所舉的論據絲毫無法說服我，但他極富創意的舉動，以及不強硬逼我吞下決定，而是不斷找方法的行為，一點一滴瓦解了我的堅持。

這段往事，一直放在我心裡二十多年，我深刻的明白：原來這就是「說服」！

不斷的用道理、而不是用情緒來強壓他人，一次不成功，就再來一次，第二次不成功，就再來第三次……。

我要謝謝我家老爸當時對我的包容！不過，雖然現在老師這工作根本就不是他說的鐵飯碗；而我也一直不太乖的把當老師這工作搞得很累又很精采。

故事講完，我的學生全傻了，我說：「所以下回，爸爸媽媽在跟你說些你不愛聽的事情、訂出一些你覺得不合理的規定，記得不要馬上發脾氣，而是記得用論據、好的故事去說服他們。而且，一次不成功，不要急著放棄或發脾氣，想看看能不能找出更合適的論據來說服他們呢？」

「所以，我們來讀看看這課文，作者說了一個燒開水少年的故事，究竟有沒有成功打動你呢？」話說完，孩子們全都專注讀著課文。想來，我也有成功說服他們更努力投入學習之中。

說服，實在是一個超級有意思的過程，是現代人必學的溝通之術，不管是面對孩子、家長、顧客或上司，都無法迴避。

同樣的，爸爸媽媽還有老師們，面對孩子的不配合時，您有成功說服孩子嗎？您有舉出更適切的證據、為孩子說一個好故事嗎？當孩子無法認同時，您有再試著第二次說服、第三次說服，還是像孩子一樣急著發脾氣呢？

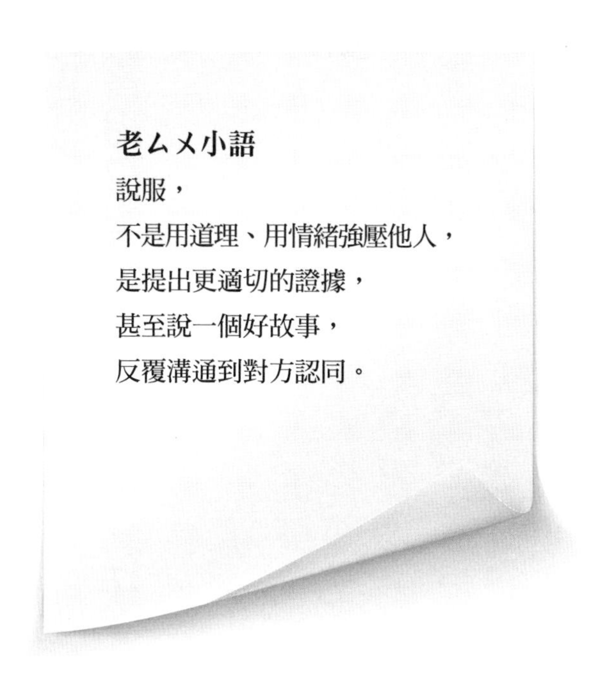

老ムメ小語

說服，
不是用道理、用情緒強壓他人，
是提出更適切的證據，
甚至說一個好故事，
反覆溝通到對方認同。

梳理思考邏輯

善用口說錄音，在家寫作文沒煩惱

自從小蘇姑娘升上小三後，我才深刻感受到，讓學生在家裡寫作文，根本是引發第三次世界大戰的最佳導火線。

即使老師在課堂上已經引導過很多節課，也寫完心智圖和寫作學習單，但小蘇姑娘回到家後還是一臉林黛玉的哀悽表情、外加孟姜女哭倒長城的聲嘶力竭，雙手一攤說：「我真的不會寫。」

寫作學習單上有老師的許多建議，我一句一句的引導她發想，但小蘇姑娘總是回答這句就忘了前頭那句，寫了前一句又忘了後頭的一大段。嗚嗚嗚，再這樣下去，連王寶釧的苦守寒窯十八年也不夠用。

錄音設備是好幫手

只好請出手機裡的麥克風先生，來幫忙助陣。我說：「你可以對著麥克風自我介紹一下嗎？」

這次的作文主題是〈我的家人〉，老師引導他們在第一段寫下自我介紹，小蘇姑娘說：「大家好，我是小蘇姑娘，我今年八歲。我的外型是可愛……。」

「等一下，為什麼你說自己很可愛？（因為我不知道要寫什麼）……可愛是別人對你的讚美，不是自己稱讚的好嗎？那你覺得自己哪裡很可愛？（別人覺得我有兩個酒窩很可愛）……好吧……那接下來呢？興趣是什麼？（我的興趣是跳舞）……所以你希望？（我希望以後我可以成為一位舞蹈家）」

我請小蘇姑娘按照所寫的大綱，以及剛才的口語回答，把這些內容講順兩遍後，用麥克風錄下來，成為作文第一段的內容。

第二段是介紹家中成員，小蘇姑娘大綱上只寫著：「我的家裡有爸爸和媽媽，他們是我最愛的人。我的爸爸很有原則，我的媽媽很溫柔，煮飯又很好吃。」

我臉上三條線，繼續追問下去：「爸爸很有原則是什麼意思？（因為爸爸講話都很有道理）……講話很有道理，為什麼是有原則？（因為他會希望我把每件事情都做好）……對。那媽媽呢？你最喜歡媽媽煮的菜餚是什麼？（韓式蒸蛋）……韓式蒸蛋跟其他菜餚比起來，差別在哪裡？（料很多，又很好吃）……媽媽還煮過什麼菜是你的最愛呢？」

等到所有提問結束後，同樣請小蘇姑娘自己先講順兩遍，再請她錄下作文的第二段。一邊錄音，我也一邊幫忙提詞或修飾用語，讓口說變成較優雅的文字。

第三段提到家裡的其他成員，第四段則是最後的結論及感想，但錄到第四段時，小蘇姑娘已經快要失去耐性。

我說：「最後的感想，是一篇文章中最重要的一段，希望別人讀完你的文章後，能得到不一樣的啟發。寫得好的話，別人會覺得這篇文章好精采。不用寫太多，但要更有耐心來寫。來，跟著我一起深吸呼，放鬆……（心靈導師上身）。」

我引導小蘇姑娘思考：「你說『待在這個家裡很開心』，原因是什麼？你可以說看看這個家和別人家有什麼不同？假如讓你去當別人家的小孩好不好？不好的原因在哪裡？你說『住在這裡很幸福』，原因是什麼？你有感受到大家都愛著你，那麼你呢？」

最後，小蘇姑娘說出她的感想：「我很開心可以出生在這個家庭，我覺得待在家裡很自由，可以做想做的事情。我也覺得很幸福，因為大家都愛我，我愛這個家的每個人。」

將音檔轉為作文

好不容易錄完四段，接下來就是把每一段錄音檔依序播放出來，再一字一句抄到稿紙上，小蘇姑娘終於露出久違的笑容。在書寫的過程中，我也會再提醒，可以用較為優美的字詞來取代，並加上一些形容詞和譬喻，讓文章變得更生動。

小蘇姑娘的字數馬上破量，眼看就快寫完一張四百字的稿子，反而要幫她再刪去不重要的枝微末節。小蘇姑娘開心的說：「老師說，至少要寫三百字，我已經超過規定很多了耶！」

呃，小蘇姑娘，你難道都忘了，這些無中生有的段落和字數，都是你「有原則」的爸爸，拚著老命和你一字一淚換來的啊！

同理他人需求

從閱讀開啟親子對談

我的身邊突然傳來一句：「這男孩好壞，他怎麼可以一直向樹要東西？」

我回頭一看，原來是小蘇姑娘捧著一本書自言自語。這本書是經典老書《愛心樹》，小時候小蘇姑娘讀過，不知怎麼心血來潮的挖出來讀。

這可是老爸表現的好時機！我曾經以這本書開過班級讀書會，這本書文字少、寓意深，能和孩子深入探討的面向很廣。尤其現在小蘇姑娘因這本書有著複雜的情緒，很適合作為親子對談的文本。

於是我拿起書，再唸一遍故事：「從前有一棵樹，它好愛一位小男孩……。」

讀到有愛的段落時，把語調讀得暖暖的；讀到樹的開心時，幫樹加了些狂喜的語調；讀到樹的悲傷和不快樂時，語氣緩慢低沉到幾乎都快聽不見……小蘇姑娘依偎在我身邊，靜靜聽完這故事。

我輕聲問：「再聽完這個故事，你的感想是什麼？」

小蘇姑娘回答：「樹好傻。我講完了。」

「怎麼說呢？」

「它真的很傻啊，樹為什麼還跟男孩說『對不起』？它只想要讓男孩快樂而已。」

小蘇姑娘反覆說著「樹很傻」的結語，很難再往下討論。所以我以同理心的對話模式，試著引導她看到更深入的核心。

1. 同理他人的情緒

我以情緒為切入點，試著帶她去感受他人的情緒：「你覺得樹的心情是什麼？」

小蘇姑娘回答：「它很開心……因為樹說，只要男孩快樂，它就會快樂。」

「那樹希望什麼？」

「樹希望男孩可以永遠跟它在一起，不過這是不可能的，因為有一天男孩會死掉……，而且男孩需要工作，才能夠賺錢生活，總不能一直和樹在一起都不做事。」

我問：「所以樹能同理男孩的心情嗎？」

小蘇姑娘想了一下，說：「樹一直很想念那男孩。」

2. 同理他人的想法

再重新以男孩的角度作為切入點，我問：「那男孩的心情呢？」

「男孩一直想跟樹要東西。」

我又問：「假設你是男孩，為什麼你一直跑去跟樹要東西？」

「因為男孩有可能賺的錢很少，需要辛苦的工作……也有可能沒辦法吃很好的東西，他總不能一直吃樹上的蘋果吧？」

3. 同理他人的需求

我問：「男孩希望什麼？」

「男孩希望樹可以給他東西，希望樹不要一直要求男孩陪它，他有可能不想努力工作賺錢。」

「啊，男孩他不想要努力賺錢？」

小蘇姑娘解釋：「他有可能認為樹會有辦法，所以想去跟樹要。樹沒有錢，只好連續給男孩三樣東西，最後只剩下老樹根。我真的覺得那棵樹對男孩太好了。」

4. 探尋內在的情緒

我問：「剛才你說，讀完書後很生氣？」

「因為男孩一直跟樹要東西。」

我繼續追問：「所以你是為了樹而感到生氣嗎？」

小蘇姑娘回答：「因為樹只要男孩快樂，它就會快樂，所以樹不會生氣。但是男孩為什麼不靠自己的努力，去得到他想要的東西？」

「所以你為樹而抱不平，對嗎？你覺得不公平？」

「對呀，男孩沒有回報樹。」

我試著挑戰小蘇姑娘的思維：「可是他們就是這樣的對應模式啊，男孩一直跟樹要，樹就拚命給男孩。他們兩個都好快樂。」

小蘇姑娘反駁我：「書裡有一頁寫著：『樹很快樂，但不是真的。』」

「所以，你覺得樹的快樂不是真的快樂？」

小蘇姑娘回答：「是在乎男孩而快樂，但它自己卻沒有快樂。」

我嘆了一口氣說：「應該說，一方面樹以為自己很快樂，另一方面樹又覺得很痛苦。」

5. 如果可以，你會如何修改故事？

「所以你可以把這故事的結局，變得沒有那麼讓人生氣，或是沒有那麼難過？」

「我可以！」小蘇姑娘翻著書停在某一頁，說：「前面男孩要蘋果、要樹枝，都沒有關係，因為還會再長出來。但當男孩說：『可以給我一艘船嗎？』樹說：『砍下我的樹幹吧！』為什麼要砍下樹幹？它可以給男孩建議，而不是跟他說直接砍樹。」

「所以當男孩說：『你可以給我一艘船嗎？』樹應該跟男孩說什麼？」

小蘇姑娘以樹的語氣說：「很抱歉，我沒有一艘船。你為什麼不去買一艘船？」

我學著男孩變老的語氣說：「因為我沒有錢。」

「那你可以去撿資源回收來賣錢啊！」說完，小蘇姑娘自己都笑了。

我繼續學老人說話：「一艘船好貴、好貴，撿資源回收根本買不起……我太太離開了，我十分悲傷，只想趕快遠離這裡。」

小蘇姑娘問：「為什麼你一定要離開？你可以留下來。」

我延續著小蘇姑娘的回答，轉換成旁白的語調：「所以，樹對男孩說：『你不一定要離開，你可以回到這邊，靜靜的坐著休息，而我會一直陪在你身邊。』」

「哦！」小蘇姑娘發出一聲讚嘆，說：「這樣的改編滿不錯的。」

於是，我們一起把故事的新結局說完：「於是男孩就安靜的坐在樹下，而樹靜靜的陪著男孩……。」

6. 在生活中的實踐

「那你的生活中，有沒有人就像這棵愛心樹一樣，這麼無怨無悔的給予呢？」

小蘇姑娘不假思索的說：「有啊，我的爸爸……（以下省略一百個優點）但他沒有那麼呆。」

這句話讓我大笑好久：「對，我沒有那麼呆。樹從來沒有跟男孩說：『我不能再給你東西了。』一直給予對方，只會養成對方的依賴，而且最後可能已經給出自己的全部，要的人卻還是不滿足。」

我繼續說：「如果以後你成為愛心樹這角色時，你要像剛才一樣，很勇敢表達內在的想法，或很誠懇建議他人可行的方法。當然，有時候我們也會不小心成為男孩這個角色，那時我們應該怎麼做？」

小蘇姑娘回答：「我覺得應該要憑自己的本事去賺錢，不要一直依賴別人，也要懂得回報。」

我抱著小蘇姑娘，微笑的說：「《愛心樹》的原名就是The Giving Tree，在面對我們身邊的愛心樹時，也許試著從索取者轉換成給予者的角色，用彼此照顧的姿態去對應，那麼我們之間就能長出更多愛的枝椏，結出更多甜美的記憶。」

親子共讀6方法

1. 帶孩子同理他人情緒
2. 帶孩子同理他人想法
3. 帶孩子同理他人需求
4. 探尋孩子的內在情緒
5. 引導孩子提出不同解方
6. 繼續在生活中實踐

發揮助人力量

讓文字轉為行動的閱讀力

教書多年，深覺孩子需要在日常生活多接觸國際資訊的重要性。因此，除了平時讓小蘇姑娘多閱讀國外繪本之外，也希望透過更多文本增進孩子的國際觀，讓孩子有起而行的實踐力。

一個月前，開始讓小蘇姑娘閱讀《今天：三百六十六天，每天打開一道門》這套書，希望小蘇姑娘每天都能讀一件在世界各角落發生的事。但是我也有些擔心，才小學二年級的小蘇姑娘，是否真能讀懂或喜歡這樣的閱讀方式？

所以，每天我讓她自行閱讀一遍，先讓她以自己的語文能力進行理解，我再幫她解釋或延伸補充。透過這樣的親子共讀，一篇用語較為艱深難懂的文章，就能變成深刻且有生活連結的有趣故事。

從故事中開啟助人力量

一個月實施下來，小蘇姑娘逐漸可以自行讀出趣味，並發展出好奇的提問。我們的親子共讀對話，常從這些提問開始。

「爸比，『水』部再加『太』，是什麼字啊？」

「是『汰』，文章裡用什麼語詞？『汰換』哦，是被淘汰後再換新的意思。」

「那為什麼要用消防隊的水管做成皮包呢？」

原來小蘇姑娘讀到英國這間ELVIS & KRESSE皮包公司，利用淘汰的消防水管來製成時尚皮包，又將一半利潤回饋給消防慈善組織。既環保又能行公益的雙贏經營模式，真是令人激賞的好點子。

文章中提到另一間英國公司的義舉，更讓我們嘖嘖稱奇：「你看這間英國的Give Me Tap水瓶公司，還將利潤回饋給非洲居民，讓非洲孩童有乾淨的飲水可用耶！」

這故事讓小蘇姑娘相當好奇，於是我教小蘇姑娘以「Give Me Tap」為關鍵字，進一步查詢，果真找到這間公司的網站。雖然是英文網頁，但在網站中讀到這個活動的緣起，也看到好多國家民眾的熱情響應；在網站上也讀到，非洲孩童因飲用不乾淨池水而致病的危機，以及非洲當地民眾乍見清澈的水從幫浦中流出來的興奮神情。

原來這間公司的創辦人是一位年輕人，他結合當地商家提供免費飲用水，改善現代人過度消費瓶裝水的塑膠垃圾汙染問題；他也將公司的二〇%利潤捐出來，用實際行動幫助遠在地球另一端的人民。

小蘇姑娘點著一個又一個影片往下看，突然她抬頭問我：「爸比，我們也可以買一個水瓶，幫助非洲人讓他們有乾淨的水可以喝嗎？」

於是我們拿起計算機，計算買一個水瓶加上國際運費需要花費多少錢，再將歐元轉換成台幣，過程順便教她複雜的加法及乘法列式。不過換算下來，單個水瓶的價格有些高，所以小蘇姑娘打算向合唱團的姐姐、阿姨們發起團購，除了一起分擔運費，也讓更多人認識這個有意義的活動。

小蘇姑娘說：「我覺得很感動，因為這個英國人竟然會想要幫忙非洲人。我也想要幫忙，買兩個水瓶是不是就能幫助到兩位非洲人呢？」

媽咪回家時，小蘇姑娘興奮的對她說：「媽咪，今天我和爸爸認識了一個好有意義的活動，你知道嗎？只要買一個水瓶，就會有一位非洲人連續五年都有乾淨的水可以喝耶！我和爸比想要幫忙他們。」

於是小蘇姑娘開始著手繪製她的水瓶推銷海報，純真的文字和圖案充滿童趣；我們也上網查詢到其他資助非洲乾淨飲用水活動的相關組織，對地球另一端的義舉有更深的了解。

看著此刻的小蘇姑娘，我真的覺得閱讀的力量好大。閱讀，打開我們的知識之窗，讓我們認識這世界更多事物。而親子共讀，則將紙本上的知識，轉化成感同身受的同理心；讓好奇心的探索，發展成接下來具體行動的實踐力。

說真的，我很期待下一次的親子共讀，又會帶給我們父女倆什麼樣美麗的視野與風景？

老ㄙㄨ小語

親子共讀，

將紙本上的知識，

轉化成感同身受的同理心，

並能更進一步邁向行動。

作業戰爭

學會課題分離

梳理不交作業背後的原因

前陣子，班上學生繳交作業一直很有狀況，我覺察到自己處於一種不滿孩子們學習態度的情緒裡。

仔細分析這種情緒從何而來，我發現我陷入一種對價關係裡。

我其實很納悶，因為心疼許多學生放學後還要去補習、安親班，或是不捨一些動作慢的孩子，我已經把每天的作業量愈出愈少了；訂正程序我也調整成更加人性化，並用盡各種方式鼓勵孩子們提前來訂正；我得承受著家長檢視的眼光、進度緩慢的壓力，即便放連假也不多出一份作業……我不明白的是，為何這樣的作業量還是繳交得如此亂七八糟？

我知道，這裡頭有我的盲點，也有我的糾結。

就像今天我和孩子們說的：「一直以來，我就是一位認真的老師，我總是盡心盡力做好每件事情，認真同理學生的需求和可能遇到的問題。」

「同時，我也希望你們做一位認真的學生。我並不要求你們在學業成績上有多出色的表現，而是希望你們擁有認真的學習態度。我教過太多屆的學生，看見唯有認真充實自我、認真把每件事情做好的人，才能在未來站得更穩。」

「我實在無法放棄每一位學生，我無法隨便幾節課就上完一課，我也無法說出『算了，反正你爸媽不管你、你沒寫沒訂正，不關我的事』這類的話。我始終相信簿本裡的錯誤是最好的學習素材，所以我無法丟著它不管。」

但是，我的內心一直反覆思索阿德勒理論的觀點，我不知不覺落入了「可憐的我」和「可惡的他」的圈套。

「我好可憐」，我是如此用心於他們的學習，我不斷釋出善意，我一直為學生著想並作調整，下課時間忙著訂正學生作業，我連上廁所喝水時間都沒有。

「他好可惡」，回家後為何連翻到前面訂正都懶？為何連簡單的回條好幾天都收不齊？甚至有孩子每天連一項功課都不願意寫，他們的爸媽怎麼可以這麼放任小孩整晚流連電視與網路？

意識到這點後，我開始做好「課題分離」。我要切斷這些連結，他可以繼續「可惡」，但我不需要「可憐」。

我不該想著：「我為你們做這麼多了，你就應該更認真才對。」我可以調整成更舒服的狀態。即便我還是覺得孩子不可以這麼放任自己、家長不可以這樣放生小孩。但有什麼辦法呢？「可惡的他」，其實也是「可憐的他」。有些爸媽就是陷入某種的無能為力，才無法好好調整孩子的問題；有些小孩就是掉進自責的黑洞，才成天想要逃避。

想清楚後，舒服多了。

我就是無法擺爛，所以該盯的我還是會盯，該訂正、該弄懂的還是得繼續，該搬到我身旁的「乖乖椅」還是得搬來，該打給家長的電話，我也會認真的打。

不同的是，我承認了自己此刻的能力不足，看清了自己的堅持為何，因此我盡量提醒自己不掉落於「可憐的我」的情緒裡。

今天和孩子們溝通清楚後，一天下來的心情都很舒服，看到黑板上缺交作業的成串號碼，也沒有任何不快的感覺。而孩子們乖巧的前來訂正作業，三兩下就ＫＯ得差不多了。

我把彼此的課題理清楚了，把著急的時間軸拉慢了，找回步調，繼續穩定的面對小老師的日常。

老師，我要頒一個獎給你

那天下課時，我悶悶不樂的坐在位子上，此時，小風走了過來。

他怯怯的說：「老師，我要頒一個獎給你。」

「什麼獎？」

小風說：「就是『教學認真獎』啊！」

「雖然最近班上作業狀況很多，但你還是一樣很認真的教我們全班。所以我要頒一個獎給你。」隨即親手幫我戴上這條純手工的項鍊。

我仔細端詳，這條項鍊是用鞋帶與舊紙盒做的，除了用奇異筆畫上細緻的花紋，中間的「寶石」，是以熱熔膠混上顏料，模擬綠寶石半透明的光澤感。

我回給他一個感謝的笑臉。這是我生平第一次被學生頒獎。尤其是來自於一位家境特殊、先前遭受班上同學排擠的孩子。

這些年來，我已不熱衷任何獎項的比賽或甄選了，但此時這個「教學認真獎」，比起任何實質的獎項，都還來得珍貴且令我動容。

心中累積的情緒悠悠散去，更升起一股暖暖的感謝。

我一向是認真的老師，但我忽略了，大多數的孩子也是認真的。我也忽略了那些作業缺交、狀況連連的孩子，更需要我有智慧的引導。

上課時，我戴著這條項鍊走上講台，全班學生好奇的問：「老師，那條項鍊是什麼？」

「這是有人頒給我的大獎啊！」我笑咪咪的說。

兩天後，剛好是融合式教育的座談會，我興奮的戴著這條項鍊去參加，可惜小風的媽媽並沒有出席。我向會議裡的校長及主任炫耀這條項鍊，我想告訴大家他是一位多麼善良又熱情的孩子。

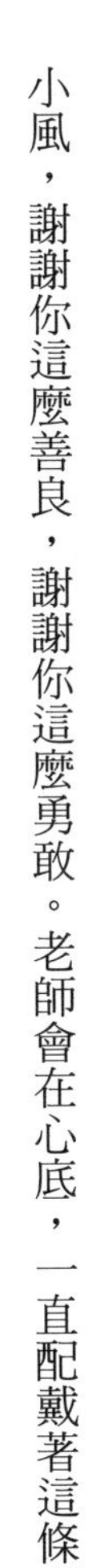

小風，謝謝你這麼善良，謝謝你這麼勇敢。老師會在心底，一直配戴著這條項鍊，一直記得你教會我的柔軟。

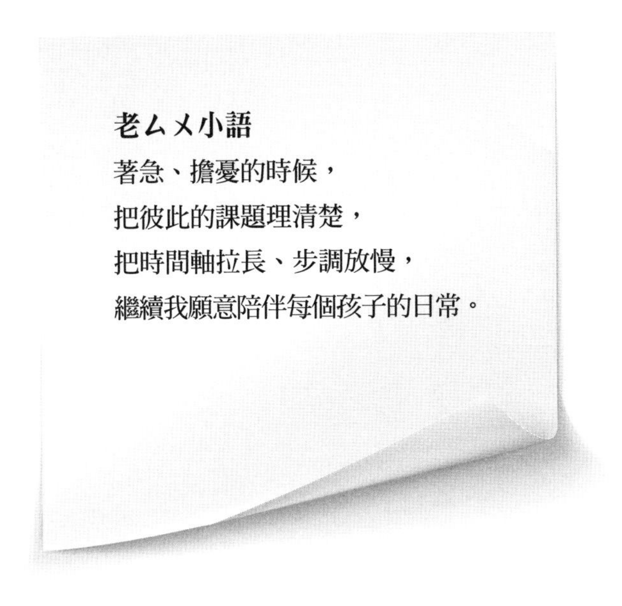

進步沒有捷徑

找到寫作業的意義

一走出教室，就看見一群別班學生聚在外面，再定睛一看，班上的小子躲在牆角，借了別班同學的國語作業簿正在猛抄。

這小子就是這樣，每天盡做一些令我傻眼的事，滿腦子都是逃避的小聰明。

我瞅了小子一眼，他嚇了一大跳，隨即把國語作業簿還給別班同學。

教高年級多年，我太會治這種「症頭（台語）」了。我當下也沒說什麼，拉了小子就趴在女兒牆上，向外眺望著風景。

我說：「風景很美吧？」

小子說：「嗯，很美，有很多的樹。」這回答聽起來就很敷衍。

我說：「但是我剛剛看到的畫面，並不太美。」

身旁的小子抖了一下，立即說：「老師，對不起，我不應該抄別人的作業，下次不會再這樣了。」

說真的，這小子這一年來進步很多，至少會老老實實的道歉，而不是像之前避重就輕的裝傻。

只不過，很立即的道歉，只是認錯而已，還沒有針對這件事情好好思考。

所以我問：「那老師問你，為什麼我們要寫作業？」

小子說：「寫作業可以幫助我們學習。」

我又問：「為什麼寫作業可以幫助我們學習？」

小子立即回答：「因為寫作業可以幫我們複習。」

我再問：「為什麼寫作業可以幫忙複習？」

小子想了一會兒，說：「因為做過這些題目，學過的內容才會進到腦子裡去，才會開始思考。」

我說：「很好啊，你知道寫作業的功能了。那我再問你，為什麼不能抄作業？」

小子說：「因為這樣我們就沒有辦法複習。」

我又問：「為什麼抄作業沒有辦法複習？」

小子吐了一口氣，說：「因為……這樣我們都沒有用到腦子，沒有好好思考題目，只是快速的抄完它而已。」

我微微笑，什麼話也沒說。

我想，這靜默的一分鐘，對小子而言猶如一世紀之久。

「好哦！」隨即我優雅的走開。

就留下小子一人，讓他去獨自思考這些人生的大哉問吧！

有趣的是，隔天在小子的短文簿裡，出現了這麼一篇「寫給自己的一封信」：

「小子，今天你為什麼會做出對不起自己和老蘇的事呢？就算作業再怎麼難，也不能用抄的呀？用抄的，你當老師是笨蛋嗎？乾脆一人發一本作業解答就好了，這樣老師也就不用改，多輕鬆啊！老蘇要我們寫作業有他的用意在，是因為這些習題裡一定還有一些題目是我們不會的，所以要我們寫作業，是要我們學習。所以，你要記得作業太難時，老師及同學都會教你。不會寫要問，而不是抄！」

這篇短文讓我看得忍俊不禁，看來小子已經參透人生的大哉問，正法喜充滿的回歸地球表面啦！

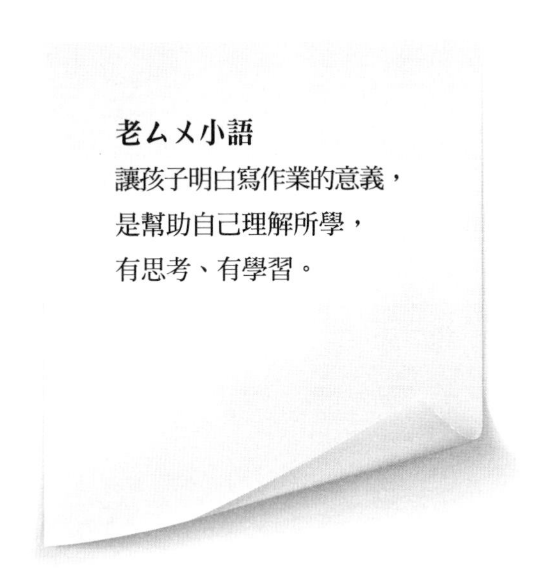

溫柔注入能量

孩子需要陪伴與讀書方法

上天對我極好，連兩屆都送給我好幾位回家後就人間蒸發、每天一樣作業都沒寫的學生。在方法用盡後，乾脆每天放學後留在學校陪著他們補寫作業。其實補作業也只是一種說法而已，實在是看不下去，乾脆出手相救。

這位不寫作業的女孩，自從前陣子放學前被我攔截留下來補作業後，一段時間下來，倒也適應得怡然自得。放學後的她，沒有白天上課時那種神遊在宇宙邊緣的迷惘神情，反而多了些笑容和速度感，刷刷刷的也能補出一、兩份功課來。

前天，女孩補作業的進度不錯，所以讓她開始準備隔天的聽考。女孩回家後從不讀書，因此國語科的語詞聽考總是滿江紅，低於二十、三十分是常有的事。

請她把語詞先抄上注音，再到空白紙上寫一遍。不用緊盯著生字描出每個筆畫，而是瞄一眼後就試著在紙上寫出來，邊寫邊背，努力記到腦子裡。

女孩長時間沒寫作業，因此動作極慢。

想為她注入些正能量，我說：「老師其實很擔心你，現在你的學習能力因為長久以來沒念書，已經落後別人太多了，連基本的常用字都不會寫。」

「但我相信你是有本事可以讀書的，你只是沒有念書而已。你未來還有很長遠的路要走，別在國小時，就決定放棄了學習這件事。」

我問：「此刻的你，想為自己努力看看嗎？」

女孩點點頭，眼神有了堅定的微光，於是我們繼續往下走。我先幫她改語詞，她再把錯誤筆畫重新訂正。之後，我請她再讀一次所有語詞。

為了犒賞她的努力，我還扮書僮，特地幫她泡了杯冰奶茶。不過她微微笑，說她不喜歡牛奶的味道。

「準備好了，可以開始考試了嗎？」我問。

女孩顯得緊張，等她準備好，我們就先預考一次語詞聽考。

第一個語詞，她奮筆疾書；第二個語詞，她忘了一個字怎麼寫，我說沒關係，請她先圈起來；不過隨著圈起來的難字愈來愈多，她開始慌亂，趴在桌上自己唉聲嘆氣，說她頭好痛。

畢竟，女孩要補的實在太多了！除了要記得正確的字，還要記住筆畫的正確性，以及語詞的涵義，更需要長時間的專注力。想要在這一小時內一口氣將它們補回來，真是太困難了。

所以我們索性停下來，把眼前這些字重新複習好就好。天色漸暗，我交代她用這方法回家自行複習，就讓她先回家了。

隔天，在考聽寫的時候，我看見女孩奮筆疾書的表情，和之前放空、甚至打瞌睡的神情判若兩人。

收回來看，女孩在兩題造句的夾殺中，還能考出六十多分，實屬不易。於是我偷偷在她的考卷上蓋了「學習認真」，改天在全班面前頒獎卡給她。有了這樣一次特別的體驗，我相信女孩未來會有更大的進展，也會對學習多些自信。

面對這麼特別的孩子，我心中總是有很深的感慨。

這麼好的孩子，卻因為家庭教育功能失衡，而對學習失去了興趣。女孩一直處於心智年齡過於單純的停滯狀態，不禁憂心著她的未來。

但我也相信，孩子的內心仍然有想振作起來的心意，可惜身邊沒有能溫柔且有方法的大人來引導他們。

孩子需要長時間的陪伴，需要讀書的方法。千萬別假借「愛的教育」之名放任他們自己長大，或以為丟給安親班就算有在教養小孩。畢竟他們是一個個完整的生命，此時不陪伴，未來人生中，我們得面對更多的擔憂。

為了不讓老師失望

放學前，另一位回家總是不愛寫作業的男孩問：「老師，我可以留下來寫作業嗎？」

「可以哦！」男孩開心的跳起來歡呼。

我忍不住嘴角偷笑：「你什麼時候變得這麼愛留下來寫作業了？」

男孩認真又快速的完成兩份作業，朝向最後一份作業打拚著。我讚美的說：「你今天動作好快，而且你今早來學校，作業全都有交出來耶！」

男孩笑著，帶點不好意思的神情。最近他都會要求留下來寫功課，我也順便提點他作業上不會的地方，所以每天作業完成度愈來愈高。

我坐在他身邊問他：「這種不用一天到晚被老師催交作業，下課可以盡情和同學玩的感覺，很好吧？」

男孩點點頭表示同意。

我又偷偷問：「那你為什麼想主動留下來寫功課呢？」

男孩想了一會兒，笑著沒有回答。

「是因為留下來有點心吃？」

「不是。」

「是因為留下來寫功課可以賺老師的獎卡？」

「不是。」

「是因為留下來寫完功課，隔天下課可以放心的去玩？」

「有一點。」

「還是為了老師，想留下來？」我故意再加問一句。

「對。」男孩想了一下，點點頭。

哈，我好壞，但老師的心裡在撒花、敲鑼打鼓外加放鞭炮。

我繼續追問：「那這幾個想留下來寫完功課的動機之中，最主要的原因是什麼？」

男孩想了想，緩緩的說：「為了不讓老師失望。」

嗚嗚嗚，我拭淚。

遇上愈多這類的孩子，有時候看見他們臉上落寞的神情，愈讓我思索「教室裡的多元價值」這件事。

如果我們總以課業成績作為單一的衡量標準，那麼這些孩子可能顯得一無是處，但是，不應該是如此，我們應該還要能看到孩子的其他潛能。即使有的表現微弱到毫不起眼，我們也應該告訴孩子，老師看見了他存在的意義與價值。

那些不寫作業的孩子，打掃起來可是勤奮極了，未來一定是好員工和好丈夫。那些畏縮怯懦的孩子，從以前就被判定為學習不夠好的類別，以至於他們始終畏懼著學習。但他們在繪畫、寫作上表現出獨特的趣味，在人際也展現著溫柔細膩的溫暖。還有那對立反抗的孩子，笑起來也是挺單純可愛的。一筆勾銷他之前欠下的種種，他鬆了一口氣，我們也輕鬆的相視而笑。

寒假後，舉辦第三次的「小書創作展」，孩子們展現他們驚人的創作能量。不善言辭的孩子，用文字展現了他們的表達力；不愛寫作的孩子，用繪畫展現了他的勤奮；經常丟三落四的孩子，小書裡每個細節都展現了天馬行空的想像力；每科都被要求高標準的孩子，創作反而是他紓解壓力的避風港……。

用單一的標準來看孩子，大多數孩子只會在標準線之下。孩子失去獨特性，不開心、不快活，怎麼樣也學不好；但用多元的角度來看孩子，孩子的表現會處處都是十足的驚喜。

今天，男孩帶了他用鐵絲做的怪獸來學校玩，那有張力的形體、動作和配件，都令我們驚呼連連。這一年多來，我不斷稱讚著他獨特的創作力，他也愈來愈有信心，從怪到慘不忍睹的作品，到現在成為全班嘖嘖稱奇的曠世巨作。我看到孩子血液裡流淌的創作力正在萌芽大爆發中。

讓每個心靈，得以用他自由的姿態精采活著，這就是教育存在的意義吧！

老ㄙㄨ小語

我相信，
每個孩子都有其潛能，
需要溫柔且有方法的大人，
好好陪伴與挖掘，
讓孩子活出自由和精采。

以愛陪伴支持

每個孩子都有自己的運行速度

收到女孩傳來的幾張照片，是一篇關於老和尚與小和尚的故事。最後一張照片，是她書寫的心得感想。我滿訝異的，畢竟女孩已經畢業半年多了。

女孩寫道：「師父就像小學五、六年級的班導一樣，小和尚就像我一樣，一開始我什麼也不會，經過老師放學後細心的教導，我現在才會出考不錯的成績。一日為師，終身為父。」

看到這文字，心裡著實暖暖的，很感謝女孩還特地來告訴我，許多回憶也不禁湧上心頭……。

事實上，教書二十多年了，真沒有遇過這麼獨特的女孩。除了每天上學遲到，整天打瞌睡，回家作業沒有一項有寫，在班上和同學格格不入，被排擠、被漠視也始終安靜無聲。她在自己的宇宙裡，孤單的運行著。

讓她在學校補寫回家作業，一節課只寫一行字；若沒有緊盯她，一份作業補到放學也寫不完。她的世界與步調，慢到如同靜止一般。

眼看著她學力低落，都五年級了，連完整的句子都寫不出來，數學程度大概只停留在三年級，我有些急了。我好話說盡，鼓勵、讚美，甚至是扳起臉孔裝凶，效果都極為有限。一個學期過去了，我對女孩變得嚴格許多，但她的學習狀況仍沒有多大起色，我們的關係仍處於很疏遠的狀態。

帶這班半年後，我留職停薪去寫博士論文。但女孩的身影一直停駐在我的心中。我一方面懊惱為何沒帶好女孩；一方面也深切自省，是否還有方法能夠真的喚醒女孩的學習動機？

想了半年，我又回到學校重新帶這個班。再遇見這群孩子，他們已經是六年級的學生了，女孩變得更加的無動力與抽離，在班上成為被嘲笑、言語霸凌的對象，我的心裡有百般不捨。

我想保護這孩子。我想用她覺得舒服的方式教導，讓她能敞開心房學習。

我不放棄

我換了另一種方式，既然白天補不了作業，就讓她放學後留下來寫。有些短時間內沒有幫助的作業就免了，只挑對她有效果的作業來寫就好。

只是每日的短文寫作，我實在是無法鬆手。這是培養她表達自我想法的訓練，即便她總是說她不會寫、不知道寫什麼，即便她十個字裡錯上七、八個字，即便她得抱著一本字典，一個字又一個字的翻找，我還是陪著她，寫完一句就讚美一句，再一句又一句的引導她往下寫。

數學也是，一題一題的教著，一題一題的讚美她；搞笑也好，說故事、講道理也好，就是要化為支撐她繼續前進的力量。那陣子，大概是我人生中每天讚美學生最多句話的日子了，多到連我自己都感到浮誇。

時間軸一拉長，我發現女孩的眼神裡開始有了光。白天時，她雖然仍是沒有靈魂的邊緣人，但放學後，她的話變多了，語速快了，有笑容，寫字也變快。到後來，她已經不是每天留下來補寫前一天的作業，而是有辦法先完成一、兩樣當天的作業再回家。

有一天，她突然抬頭，說了一句：「老師，如果你是我的爸爸就好……我爸爸都不教我功課，也不會這樣對我講話……。」

女孩的家庭狀況，不是我所能插手，但我知道這句話背後的用意。我能做的，只是在這段時間裡，為她提一盞燈，為她拂亮封閉已久的心房。

愈到畢業，班上同學都感到驚訝，因為他們發現女孩不一樣了，會笑、會發言、被嘲笑時還會反擊，他們說女孩從宇宙回到地球了。

有時候，女孩考出一個還可以的分數，再也不是全班墊底的那位，她的成績追過幾位孩子，全班都驚呆了。

畢業考，她拿到班上的進步獎，她開心得不得了。她的媽媽在班上臉書社團裡，寫下滿滿感謝的文字。

畢業後，女孩曾經回來找我，她說上國中後，她有交到朋友，她再也不是、也不想當班上的邊緣人了。

我記得我微笑向她說恭喜，讚美她能跨出交友的那一步，有著突破自己的勇氣。此時，再看到這篇女孩傳來的感想，這句「一日為師，終身為父」，一直讓我有著無限的感觸。

孩子才是我的老師

孩子，其實老師也要感謝你。

你是如此的獨特，以至於在初見面時，讓我顯得束手無策。但你讓我明白自己能力的侷限，也明白有些孩子真的是急不得，你有自己的運行速度，再焦慮、再有情緒，其實也無濟於事。

你也著實教會了我，陪伴和支持，才是真正軟化並重建心靈封閉孩子的解方。

那段陪伴的日子，老師收穫很大。明白了如何說話與引導，才能觸發學生的動機與行動；也明白了面對心靈孤寂的孩子，唯有愛，才能豐盈他們的生活感知力，開啟對人生的想像。

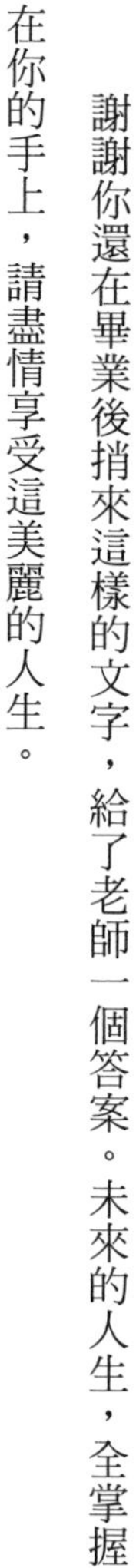

　　謝謝你還在畢業後捎來這樣的文字，給了老師一個答案。未來的人生，全掌握在你的手上，請盡情享受這美麗的人生。

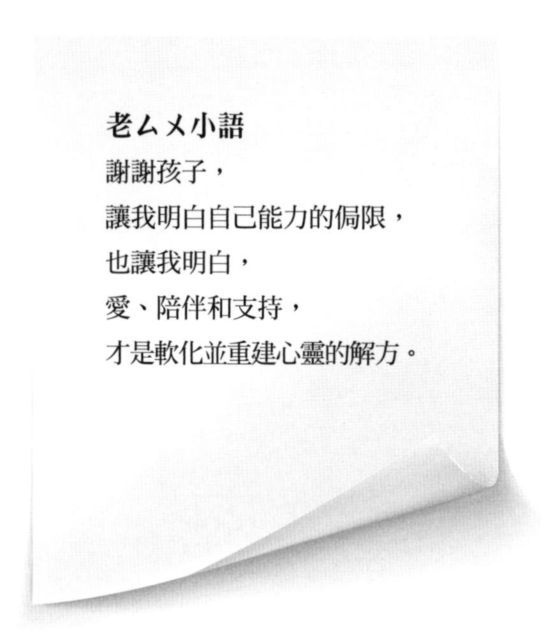

老ㄙㄨ小語

謝謝孩子，

讓我明白自己能力的侷限，

也讓我明白，

愛、陪伴和支持，

才是軟化並重建心靈的解方。

Part 3

同理心滋養心靈土壤

因為同理心，
我從孩子身上看到自己的不足；
而同理心所給出的力量，
也悄然滋養著孩子的心靈土壤，
讓我真正看到了教育的可能。

我是當了很多年的老師後，才成為一位爸爸的。

從過往的很多學生身上，我看到缺乏陪伴的孩子，內在都藏著好多情緒，生活也欠缺自律的習慣，所以總是提醒自己：只要有時間，就盡量陪在小蘇姑娘身邊。

日子久了，我發現陪伴的好處不少，除了容易發現孩子的學習困難，即時給予協助；我們親子之間，不管是情感建立或是溝通互動，都變得更為流暢且自然。我可以輕易同理她的需求，她也能與我談心、互相擁抱、表達內心的愛。我自己也在陪伴中，重新回溯童年時光，許多小時候的不快樂與遺憾，都因為再走過這些生命歷程，而深深被療癒。

回到學校，在面對學生時，我也更能用一位爸爸的心情，來陪伴教室那些需要我的孩子。

只是過往幾年，我自己在帶班上有了極大瓶頸。我遇到了好多位和我屬性截然不同的孩子。在那些對立反抗的衝突中，我沮喪、難受、困惑著……甚至快不認得書中那個書寫的自己。

所幸，新的班級讓我重拾信心，帶來好多歡笑聲。而過往那些不愉快的情緒，早已淡去或被遺忘，篩落後留下的，只有閃亮美好的回憶。

也許就是我的前半段人生太過於順利，也或許是上天想提醒我該暫停這種「太過認真又嚴苛」的人生態度，所以連續送來了難熬的魔王級考驗。

但是回首望去，這些辛苦的歷程中，遍地都是閃亮亮的珍寶。

我由衷感謝那些孩子，用衝撞和反抗教會我重要的課題；我也想真誠擁抱那些遍體鱗傷的無助心靈。

因為同理心，我從孩子身上看到自己的不足；同理心所給出的力量，悄然滋養著孩子的心靈土壤，也讓我真正看到了教育的可能。

日常陪伴

同理孩子視野

蹲下來，和孩子用同一個高度看世界

這天，臉書突然跳出一則多年前的回顧，讓人跌入遙遠的回憶裡……。

那是小蘇姑娘兩個月大時，躺在沙發上咿咿呀呀說著不知名的外星語，我有感而發的寫下這篇短文：

同一個高度

你常望著同一個地方出神

我常在想

從你的雙眼看過去
會是什麼樣的風景
於是我特地蹲了下去
和你站在同一個高度
看這個世界

原來
那有明亮的燈光
有書櫃
有欄杆
有藍色的牆面
還有一群可愛的小人偶在對你賣力演唱

光線　色調　圖樣

構成了你眼裡的小宇宙
跟你站在同一高度的我
很陶醉

將來有一天
你會愈長愈大
愈長愈高

爸比也會一直提醒自己
要跟你站在同一高度
觀看這個美麗世界

也從這個誓約開始，只要有機會我就會蹲下來，試著用同一個高度觀看她眼中的世界。

小蘇姑娘一歲時，爬行過的地方總是一片狼藉，宛如被酷斯拉肆虐，而我們就是災後極欲重建家園的無助災民。於是我也乾脆蹲下來，跟在她後頭，揣摩一下這樣子低姿態爬行，究竟會帶來什麼樣的樂趣。

原來待在距離地面二十公分的世界，看什麼都好巨大：三角鋼琴化身黑色巨型的三爪怪獸，土耳其綠沙發是綿延層疊的峻嶺，桌子和沙發間的空隙，是最適合躲藏的壕溝，而方桌、電視、譜架則是路上呼嘯而過的景致。

她三歲時，我蹲著和她乘坐電梯。

我才發現，我得用很蹲下、很蹲下的姿勢，才能和她說話。

從她那明亮的眼睛望去，原來電梯螢幕看得不是那麼清楚，原來電梯按鍵是在眼睛前方，原來開門鎖得稍微踮腳尖才行。

原來想對爸爸說話時，都得把頭仰得好高。

原來，我們之間是如此遙遠，遙遠得有時那威嚴的父權形象令人難以親近。

我繼續翻找著臉書上的過往，慶幸有太多因為書寫而保存下來的記憶。

她五歲時，某天早上送她去幼兒園，我也刻意蹲下來和她一同乘坐電梯。我想，管理室的監視器裡，一定又出現疑似喝醉酒老爸蹲坐在電梯裡的畫面。

但是這麼蹲下來和小蘇姑娘說話，我發現她臉上表情變得柔和許多。沒睡飽的眼睛裡，開始有著晶亮的光采，她笑著、說著上學的期待。我們手勾手，約好今天要更早一點去學校接她回家。

自從開始用「同一個高度」觀看小蘇姑娘的世界，我發現自己變了，開始用「孩子是如何理解世界」的角度，來觀看事情的本質。

她究竟看到什麼樣的世界？她的感受？她在乎什麼？我們看似微不足道的事情，在她的思維裡是何等的超級大事？

和孩子站在同一個高度，其實就是同理心，一種設身處地、將心比心、真誠的透過孩子的立場來思考事情。

我曾經對初為人母的朋友說：「你要好好珍惜這段日子，因為這段時間很值得回味，孩子一下子就過了這階段。」

朋友不解的看著我。

我說：「前一陣子，我突然感嘆小蘇姑娘長好快。邁入四、五歲後，她再也不是以前那傻不嚨咚的小娃了。有自己的想法，有完整的口語能力，能獨立去完成許多事。在照顧上感覺是輕鬆許多，但也發現，好多事情當她已經學會後，再也不能大驚小怪的驚呼連連了……。」

例如，她第一次喊「爸爸」。

例如，我激動的錄下她第一次學會站起來的畫面。

例如，我和指揮大人開心記錄著她剛學會的每個字句。

例如，她很小的時候就會自己洗碗盤、幫忙做家事，令所有人驚訝連連。

例如，一個小故事她就會開心的笑，講得無聊到爆炸也沒有關係。

例如，天外飛來的童言童語、在大庭廣眾下跳舞、父女間小小的意見不合、在緊黏媽咪時還會突然來一句「爸爸我愛你」……。

例如，有好多的「例如」。

但是當經歷過了孩子每一次的「第一次」之後，很多事情就顯得理所當然。尤其是當她有自己的想法、想據理力爭時，我們之間似乎就出現更多的拉鋸。

我懷念我爬在她後頭，觀看這巨大的世界；我也懷念我蹲下來，和她同一個高度看這世界。

要提醒這位朋友的是，這段時間很快就過去了，這其中的辛苦，再回首望去，其實都是上天所給予的最甜美禮物。

目前，我和小蘇姑娘的畫面，已不是那「童言童語的小娃加上大驚小怪的悲情老爸」，而是「騎著噗噗載她回家、四處尋覓晚餐」的慈父背影了。

接著，我們可能又進入了另一個階段：新班級的適應期、課業和時間壓力讓人喘不過氣來、進入狂風暴雨的青春期，還有升學、就業、談戀愛……各階段停不了的擔心與煩惱。

捨不得前一個階段的離去時，更感謝過去那些階段裡的用心感受。同時，我也很享受在這一個階段裡，每件平淡無奇的小事，都匯聚成為未來的幸福回憶。

小蘇姑娘，謝謝你，帶給了我更寬廣的視野。我會一直和你站在同一身高，一起看著這古怪難懂卻又迷人的瘋狂世界。

我，還需要再蹲低一些

早上，小蘇姑娘出門前，我抱了抱她，說：「現在你長得好高，已經長到爸比胸前的位置。」

「以後，可能換我要仰著頭抱你，因為你會長這麼高（手比在我頭的上方），長成一位女巨人那麼高……。」

話都還沒說完，小蘇姑娘就給我一個白眼。

抱著她的我，繼續說：「好啦，我開玩笑的。但以後你會長到和我差不多高（手比在我的頭前方），而且說不定我會變得比你矮（往下蹲一點）。因為人愈老，愈會老倒縮（台語）……。」

小蘇姑娘急忙的說：「不會，你又沒有很老。」

「老囉，你爸比老到不行了。」說這話時，順便再偽裝成阿進爺爺的語氣。

沒想到，才剛結束這段對話，下午臉書再度跳出這篇「同一個高度」的動態回顧。

很多年前，在小蘇姑娘還是小baby的年紀，我就承諾我要一直用同一個高度，陪小蘇姑娘觀看這個世界。

但是，隨著她愈長愈大，我發現有時我仍會遺忘這個簡單的道理。心裡總是期望她年紀愈大就該愈懂事，卻不自覺把她放在比她能力所及還高的位置上。就像早上我想像她的身高，總是不自覺用大人的高度，來想像著她的未來。

我有多久沒有蹲下來，陪著她好好聊聊天呢？

我有多久沒有蹲下來，跟著她欣賞她眼前的世界？

而從現在她的高度來看，世界又會變化成何等的模樣呢？

她的生活很新鮮、很忙碌、很有趣、很複雜，也很辛苦。很多很多的事物都在熟悉、摸索中，很多的忙碌也讓她疲於奔命、喘不過氣來。

我要一直提醒自己：蹲下來，和孩子用同一個高度看世界。別急於讓孩子長大去適應未來，應該停下腳步，隨著她的步伐探索全新的世界。

我應該再多些耐性才是。這個瘋狂的世界需要有人和她站在同一高度上，陪著她一同前行。而我，還需要再蹲低一些。

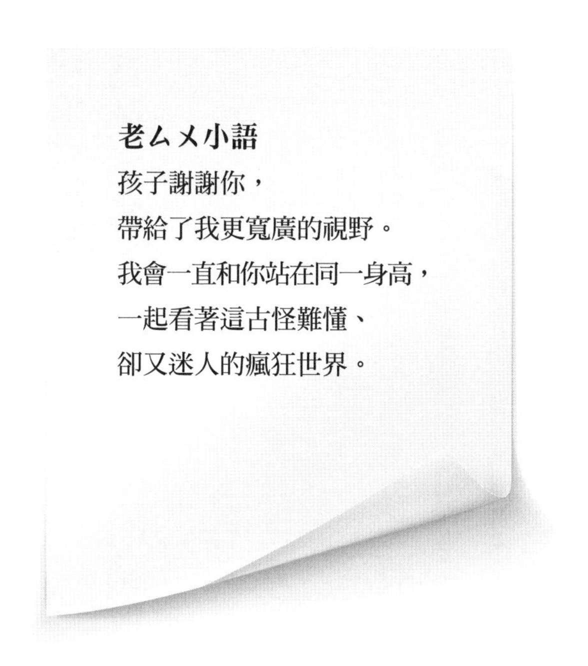

珍惜陪伴時光

為孩子多存一點童年的陪伴與歡笑聲

小蘇姑娘就讀幼兒園時，只要有空閒時間，我就會走路去接她放學。

「我好喜歡你走路來接我哦！」有一天，走在身邊的小蘇姑娘突然冒出這句。

我發現平時我開車來接她，她沒太大反應；但當我騎著摩托車來接她，她會露出竊笑的表情；而如果我是走路過來，當她望見站在大門的我，臉上總會有種喜出望外的驚喜。

其實我也很喜歡走路來接她。

當初特意選了這個坐落於社區裡的幼兒園，因為只要走路五分鐘就能到學校。

而這五分鐘，意外成為每天我和小蘇姑娘的溫馨旅程。

像這天，才一牽起小蘇姑娘的小手，她就鉅細靡遺開始報告今天發生的大事：哪些同學又做了什麼事、老師今天又說了什麼話？

而我總是不斷搭腔：「哦，這樣子啊……他說什麼呢？……那後來呢？……那你一定很開心吧？」

五歲小孩的世界真是有趣。很多生活小事，對他們而言，就是天快塌下來的大事。我靜靜的聽，也享受著只有孩童才專屬的單純快樂。

接著，我們就會去買最近新開賣的雞蛋糕。料好扎實，連吃兩天都不膩。

走進鄰近的公園，那是我和她的祕密花園。她忙著在遊樂設施裡穿梭，而我忙著教她欣賞這春暖花開的美景。

「你看，這是杜鵑花，是不是開得很漂亮呢？這裡有粉紅色的，那裡還有白色的，花長得一樣、顏色卻不一樣；它的葉子粗粗的，摸起來很像紙哦……那是桂花，是媽咪最愛的飲品了，聞看看，是不是很熟悉的香味？……那是仙丹花啦，一根根像紅針是它的花，你數數看究竟有幾朵？……還有，這裡開滿了好多櫻花啊……。」

是啊，這座公園真的很奇妙，小小一座，竟處處開滿整樹繽紛的櫻花，不用到高山裡取景，坐在路邊的櫻花樹下，仰望著天空，感覺此刻就置身天堂。

小蘇姑娘滿臉堆著笑意，一邊吃著雞蛋糕，一邊玩得滿身大汗。

「我好喜歡走路來接你哦！」

我也學著小蘇姑娘，朝著遠方的她這麼喊著。

小學的選校考量

還記得，在小蘇姑娘即將就讀小一前，很多人問我：「小蘇姑娘要讀哪裡？要跟著你去同一所學校就讀？還是讀『走路只要兩分鐘、過個十字路口就到了』的學校？」

其實，我們夫妻倆掙扎了很久，最後勝出的考量因素，是「距離」。

我希望小蘇姑娘每天可以睡飽再上學，不希望她每天睡眼惺忪、頭昏腦脹的跟著我，慌亂的起床、花很多時間在通車上頭。

研究顯示：孩子長期睡眠不足，會導致智力下降、注意力不集中，不僅不利於健康與身心發展；親子間因快遲到的過多衝突，也容易影響親子關係……。

我也希望她在放學後，身邊有更多的玩伴，陪她度過放學後的時光。可以在她熟悉的居住環境，與這片土地建構出深刻的回憶與情感。

還記得我讀小學時，整個巷子裡都是同班同學，放學後除了和同學一起討論功課，大家還總是吆喝著彼此在巷口大玩好幾百回合。現在回想起來，童年時光填滿了跳格子、玩彈珠、跳繩、過五關……這些歡樂的記憶。

很慶幸在我童年時有這些生命歷程，感受到與人互動的溫度，還有與這塊土地的連結。現今台灣忙碌的工作型態，孩子們早已失去了這些平凡卻充滿正向力量的童年生活。

這也是我們先前選幼兒園的最主要考量。她的幼兒園就坐落在家附近，只需要走路五分鐘，有時我會走路去接她回家，沿路我們聊天、談今天發生了什麼事，還能在小公園裡玩盪鞦韆、上一堂生態植物課程。

沒有名校迷思，也沒有一窩蜂的趕流行，我們只希望她能健康、快樂、無負擔的成長。

過去三年多的幼兒園生活，她遇到一位愛她的好老師，交到好朋友，快樂而自在的長大著，存下好多童年的笑聲與歡樂回憶。

我們將會用最正向的態度，來與未來結緣的學校、老師配合。因為我們一直相信，「良好的家庭教育」才是孩子健全發展的根基。這句話除了送給網路上焦慮的爸媽們，也送給身為家長的自己。

希望即將進入小學階段的小蘇姑娘，能遇到懂她、願意賞識她的好老師。

家有小一生之新手老爸週記

小蘇姑娘邁入小一生活的第二週。大家都在問：「請問小蘇姑娘上小一之後，你們家有什麼變化？悲情老爸的心情如何？有沒有每天躲在棉被裡哭呢？」

其實開學的第一週，只能用「兵荒馬亂」來形容。

提早的開學日，以及陪著媽咪的合唱團去日本演出，讓我們在開學前的深夜才抵達台灣。這一週來，不只是小蘇姑娘，全家三口都過得十分慌亂又緊繃。忙碌讓我們根本沒空感嘆：「好感傷小蘇姑娘又長大了！」每天把規律作息過得圓滿，就得花去好多的力氣。

要感謝小蘇姑娘的媽咪，做了極大的讓步。為了讓小蘇姑娘有著快樂而充滿歡樂回憶的小一生活，她努力把下午時段的工作排開，每天下午母女會手牽手回家，兩人先是睡上一頓甜美午覺，再起床把回家作業寫完。一整個下午，都是安穩而規律的作息。

更重要的是，每天早上總會有鄰居姐姐來按門鈴，約小蘇姑娘一起去上學。為了要趕赴和鄰居姐姐手牽手上學的時間，小蘇姑娘再怎麼睡不飽，仍撐著瞇瞇眼、加快上學的準備動作。小蘇姑娘得早起，晚上也因為沒電而早早昏倒睡去，無形中養成早睡早起的習慣，終於恢復正常作息。

而她熟悉的社區，亦帶來守護的力量。

有時媽咪來不及接送，就會有幼兒園同學的媽媽幫忙帶回家，或是放學後先待在保母家，和姐姐跑上跑下、玩到吱吱叫。我去接她，她還不肯回家咧！

真的很感謝身邊有這麼多貴人，在我們需要協助時出手相助。

我們也很慶幸當時做的決定，讓小蘇姑娘待在她熟悉的社區學校就讀。若跟著我去學校，我們父女只會每天墮入「互相陷害遲到」的無限循環。她感受不到社區成長環境的溫度，也沒有一起成長的童年同伴，只能每天被關在安親班裡，痴痴的等著我把她接回家。

對於一個孩子的成長，社區守護的力量真是好重要。謝謝身邊這些貴人，謝謝身邊這些美好的緣分！

老ㄙㄨ小語

小孩的世界真是有趣，
很多小事對他們而言，
就是天快塌下來的大事。
然後我靜靜的聽，
也享受著孩童專屬的單純快樂。

享受自然體驗

找回孩子在真實世界的感受力

國小剛畢業的小姪子，到台北的姑姑家度假兩週。姑姑和姑丈帶著他騎腳踏車、浮潛、爬山，想為他留下美好的童年回憶。

這原是美事一樁，但小姪子總是一副興趣缺缺的模樣，臉上時常堆著苦不堪言的表情。他每天最開心的時刻，就是終於可以躲在房間裡玩手機。

聽完這些，大人們都嘆了一口氣。

我教過不少這類學生，對於身邊的事情都不感興趣，帶他們做活動或遊戲總覺得無聊，帶到野外常喊熱或喊累；最期待的事，就是和同學互尬線上遊戲。

前幾年帶學生畢業旅行，老師們驚訝發現：很多學生在遊樂園裡，竟然不是在玩遊樂設施，而是一大群人圍坐在一起玩手機遊戲。

這樣的下一代，難免讓人憂心。很多孩子困在虛擬世界裡，而與真實生活環境解離。一旦切斷與虛擬世界的連結，他們便顯得煩躁不堪、無所適從，也缺乏在真實世界覺察美感與樂趣的能力。

多給孩子大自然的體驗

話說回來，小蘇姑娘雖然沒有3C產品可玩，對大自然的體驗力也不足。她就是標準的都市小孩，在家中看到小蟲子會尖叫，帶到野外會不耐煩的喊累，周圍自建一個與大自然隔離的真空層。

我必須懺悔，過去我們夫妻因為各自忙於工作及學業，而讓她與大自然變得如此疏遠。因此，我打算好好利用暑假，讓她沉浸在大自然的環境裡，進而愛上大自然的美好。

「別老是窩在都市裡，明天我們去山上走走吧！」我提出兩個建議：「你比較想去溪頭，還是清境農場？」

喚醒孩子的內在動機，就是讓孩子的三個關鍵心理需求：自主性、關聯性和勝任感，得以被滿足。第一步驟是「自主性」，我讓小蘇姑娘有自由選擇的權利，不過在我不斷暗示外加催眠下，她選擇了溪頭。

「太好了，溪頭有多樣性的生態物種，很適合我們去探險，是爸爸最喜歡帶學生去踏青的地方。」接著，我請小蘇姑娘上網搜尋她最想去的景點，為我們彼此之間創造幸福的「關聯性」，這是內在動機的第二步驟。

小蘇姑娘查完後，一副興趣缺缺的模樣：「沒什麼好玩的啊，就只有草坪區感覺還不錯。」

哈，果然和我料想的一樣。不過過往經驗告訴我，當到了現場、走完整天行程後，孩子就會有截然不同的感受。

前往溪頭的路上，我請小蘇姑娘擔任車上ＤＪ的神聖工作，為我們播放好聽的音樂。我們還在路邊買了有名的竹筍地瓜包和蜜地瓜，美食和音樂讓小蘇姑娘有了前進的動力。

提升觀察力、建立鑑賞力

到了溪頭，我請小蘇姑娘擔任攝影師，拍下並選出她覺得最精采、最美、最具代表性的十種動植物。

這個任務，目的就是打開她的心眼，仔細留意沿途的動植物；並且藉由評選出十種代表性物種，來訓練小蘇姑娘觀察、比較、分析和鑑賞能力。

果然，小蘇姑娘接過相機後，就如同專業攝影師上身，在園區裡時而尾隨赤腹松鼠偷拍，時而蹲低幫黃胸藪眉、白尾鴝拍特寫。

有時，她會指著身邊的植物問：「爸比，這是什麼啊？」於是我們一起研究著立在附近的名牌，幫她補充相關生態知識，她手上的相機喀嚓聲也不絕於耳。

我喜歡帶學生去溪頭自然教育園區，因為腹地大、物種多，有多條步道可供選擇。不過也因為如此，小蘇姑娘走得有些累，快要失去耐性。

「快到了，再兩個彎……快到了，前方就是大學池，那裡有好吃的竹筒飯……快到了，前面就是神木區，有好吃的冰棒哦！」

在竹筒飯和冰棒的催眠下，我們走完大半園區，小蘇姑娘今天的「勝任感」根本大破表！

走在林間，有時我們在蓊鬱蒼翠、高聳參天的樹林中，感受到天地的雄偉與自身的渺小；有時我們走在雲霧繚繞的林道間，感受到天人合一的平靜感；有時則在落英繽紛的樹下，觸動內心一地的柔軟……。

奇妙的是，隨著逐漸步向終點，小蘇姑娘不再喊累，而是發出更多的驚呼：「這風景好美哦！」

這就是美的鑑賞力啊！我輕聲問著小蘇姑娘：「喜歡今天的旅程嗎？」

小蘇姑娘點點頭。回家後，她滔滔不絕的向媽咪介紹今天的行程，並且計劃著下回要帶好友走哪一條步道，顯然她也感受到大自然的魅力了。

看著地圖上還有多條步道未走，看來，要認真考慮購買溪頭的入園年票了！

老ムメ小語

很多孩子困在虛擬世界裡，
與真實生活脫離。
當切斷與虛擬世界的連結後，
他們顯得煩躁不堪、無所適從，
也缺乏覺察美感與樂趣的能力。

照顧他人能力

因為愛你，我從廚藝白痴成為萬能爸爸

「女兒，今晚要吃些什麼？」我彷彿美食節目主持人般開著菜單：「我們有炒飯、油飯、爌肉飯、麻醬麵、蔬菜麵、麻辣鍋、養生鍋、海鮮鍋……今晚想吃哪一道，請選擇！」

說來好笑，沒想到我也有這麼一天。這要多虧我家指揮媽咪的訓練，從事合唱藝術工作的她，得全台跑透透，經常不在家吃晚餐。一家大小事的張羅，便落到我頭上。

「很難選擇耶？你的意思是吃泡麵也可以嗎？」小蘇姑娘問。

「可惡，這麼多選擇，為什麼要吃泡麵？我們來煮一頓好吃的，讓自己開心一下吧！今晚就來吃火鍋。」

這一餐由小蘇姑娘掌廚，我是一旁聲控的二廚。她先切蔬菜、備料、煮開水、熬煮湯頭、下食材……我忍不住讚嘆：「你真是比我強上好多倍，我小時候哪像你這麼會做菜！」

「那爸比，你現在為什麼這麼厲害？」

「我是因為你出生，才開始拿鍋鏟下廚的。」小蘇姑娘露出驚訝表情。

我說：「從小爺爺奶奶很疼我們，總覺得小孩子讀書就好，尤其在那個重男輕女的年代，男孩子很受寵，所以長大後的我們，什麼都不會，連做家事都嫌麻煩。」

「也因此長大後，我發現自己有很多能力是缺漏的，例如：煮飯、打掃、修理器具，還有照顧自己與照顧他人的能力。因為沒有經驗，也沒有人教，只能從失敗中不斷摸索。」

幸福，就是有能力照顧自己和他人

「在你出生前，爸比幾乎每天都是三餐外食。你知道為什麼爸比最近常煮飯嗎？」

小蘇姑娘不假思索回答：「因為你很愛我呀！外面賣的食物都添加很多東西，還是吃家裡煮的比較健康。」

我笑了：「這麼會講話啊！不過這倒是真的。因為愛你，所以努力學習用更好的方式照顧你，才從廚藝白痴，進化成萬能爸爸。但是，爸比也感受到，原來從照顧他人中，能獲得一種被需要的單純快樂。」

小蘇姑娘此時正與切紅蘿蔔對戰，她拿刀的方法，讓人看得怵目驚心。我為她示範：「切菜，左手要離刀兩公分遠，先推一刀，再用個巧勁壓下去……對，你學會了……高麗菜只要順著它的紋路，就可以大片剝下來……有菜蟲別怕，代表這蔬菜沒有農藥殘留，想像牠以後會變美麗的蝴蝶或蛾就行了……。」

一邊洗菜我一邊問：「大人寧願自己辛苦，叫小孩子什麼事都不要管，只要讀書就好，你覺得這樣好嗎？」

小蘇姑娘立馬回答：「不好，人都要有學習的機會，否則長大後，就什麼都不會了。」

「是啊，大人為小孩做得愈多，小孩就會學得愈少。」

教書愈久，愈感受到家庭教育的重要。我有許多學生，雖然升上五年級，仍無法自己清洗餐具，更沒有參與家事的習慣；總是嫌棄倒垃圾、掃廁所又臭又髒，不願動手幫忙；甚至連如何拿掃把、怎樣把地掃乾淨，都需要我重新教導。

為此，我曾經實施「家事週」學習活動，獲得班上家長的熱烈迴響。活動結束後，孩子們感受到維持一個家庭的辛苦，家長也紛紛表示孩子變得主動多了，且心態上較為感恩。

無論是廚房裡，或餐桌上，都是父母和孩子相處的寶貴時光。親子一同做菜，許多經驗傳承、議題與價值判斷，也能在輕鬆愉悅的氛圍中，得以深入談論。此時，親子情感正在流動著，而這些閃閃發光的回憶，將是他們成年後很重要的支持力量。

這些親子一同動手做家事的回憶，讓孩子學會照顧自己與照顧他人；更重要的是，在愛與需要中，學到同理心與責任感。這是我成為父親後，最希望送給孩子的生命禮物。

「你現在知道，為何我們從小要讓你學習煮飯了吧？」

「這樣，以後就可以煮給自己的親朋好友吃了。」小蘇姑娘回答。

「除此之外，更希望你學會照顧自己，不用一天到晚外食。這樣，未來面對新環境，爸比就不會太擔心你了。」

於是，我們在香氣瀰漫中，完成今晚的火鍋。小蘇姑娘淺嚐一口湯頭，直呼：「好喝！」

我笑著說：「因為這火鍋裡，加入了愛的滋味！」

我輕輕抱了小蘇姑娘，說：「謝謝你，為老爸煮了這一頓好吃的火鍋，讓爸比有著幸福的感覺。以後你長大，要繼續煮出充滿愛的料理，為你所愛的人們，持續傳遞著幸福的好滋味！」

老ㄙㄨ小語

在愛與需要中，
學到同理心與責任感。
這是我成為父親後，
最希望送給孩子的生命禮物。

不畏面對恐懼

面對生命課題，學會以祝福守護彼此

寫作業寫到一半，小蘇姑娘突然眼眶泛紅，兩串淚珠就這麼滾落下來。

「怎麼了？」我問。剛才明明心情還挺好的啊？

「我怕你和媽咪死掉。」小蘇姑娘嗚咽著，躺在我懷裡。

這突如其來的反應，把我嚇了一跳。不管我怎麼追問，她都搖搖頭不發一語，我只能先安撫她的情緒。

隨即我想到這應該是前一天的後遺症，昨天小蘇姑娘說她讀《陳樹菊阿嬤》這本書時，偷偷哭了幾回。當時我還大力讚揚她終於感受到閱讀的魅力了，能與書中人物同喜同悲。原來是害怕自己像陳樹菊阿嬤，從小就得承受親人離去的悲傷。

小蘇姑娘從小就是一位感情豐富的孩子。此時我能感受她的焦慮與不安；但另一方面，我慶幸有一位如此愛我們、又能真摯表達內心情感的女兒。

我說：「謝謝你這麼擔心我們。但你知道嗎？爸爸也很怕失去你。你獨自坐電梯時，我怕你會遇到壞人；騎摩托車時，我怕出車禍你會受傷；我也同樣會擔心我的爸爸媽媽不在了……其實每個人都一樣，擔心我們所愛的人有一天會離去。」

我繼續說：「這就是大自然的法則，每個人都會離開，沒有人例外，只是我們平常都不敢去碰觸這個話題。我們必須調整成更好的心態，而不是活在恐懼裡。陳樹菊阿嬤如果一直活在親人離去的悲傷裡，她就無法成為我們所熟悉的陳樹菊。因為始終處在悲傷親人的離去，或恐懼死亡的來臨裡，就沒有辦法好好活著。我們必須把自己過得更好，更珍惜彼此相處的時光。當你珍愛對方時，對方會活在你的心裡，我們就會更有勇氣而不畏懼。」

小蘇姑娘點點頭，隨即就趕忙去寫著她的回家功課。然而連著幾天，只要想起這件事，她就會偷哭一陣子。

加強親子情感連結

為此我們又聊了幾回合，推薦她看一些書，請合唱團姐姐為她現身說法，並且和小蘇姑娘唱起了團歌《勇氣之歌》，希望這首歌所欲傳達的意境，能為她帶來大大的勇氣。歌詞中這句「請你別緊張，其實每個人都一樣」，讓我們父女兩人噗哧笑了出來。

「擔心或害怕都在所難免，這是源自於我們如此深愛身邊的親人。只是一定要記住，每個人都是如此啊！也因為大家都一樣，所以我們毋須那麼緊張，反而是要珍惜每個活著的當下。」

我還特地找來電影《可可夜總會》與她一同觀賞。電影結束時，我自己哭得淚流滿面，倒是小蘇姑娘冷靜的問：「爸比，你怎麼了？」

「難過啊，就像你看陳樹菊阿嬤的故事一樣。你覺得親人離開好難過，而我覺得被人遺忘好難過。剛才你也有哭哭嗎？」

小蘇姑娘回答：「有啊，在主角海特快要被他女兒可可忘記的時候。」

我說：「可可不會忘記她的爸爸，因為她爸爸對她如此用心。我們如何不被世人遺忘呢？就是留下讓世人記得的事蹟，或是持續善待身邊的人，讓親朋好友都會懷念我們。」

我以陳樹菊阿嬤為例子：「我知道你擔心我們會像她的爸爸媽媽很早就離開，只是我們永遠都不會知道何時會發生。我們該著眼的是現在，而不是未來。努力把現在每一天都過好，而不是擔心那無法預測的未來。」

「如果你很捨不得爸爸媽媽，就把我們之間的故事活得精采，讓我們一直記住彼此。我努力在你心中留下好爸爸的印象，你也要讓我們一直記住你的好。這部電影裡，因為主角之間有很深的情感連結，就不會忘記對方，即使去到另一個世界，仍然在亡靈節這天回來陪伴家人。雖然我們不清楚死後世界究竟是什麼模樣，但是我們可以選擇將此時此刻過得很好。」

小蘇姑娘點點頭，我問：「現在你心裡還有害怕，或擔心的感覺嗎？」

「還有一些些。」

我提議：「也許我們可以學劇中主角，送給對方一個祝福。祝福彼此健康平安，讓這祝福一直守護著你。」

於是我們假裝拿起電影裡那片花瓣，輕輕放在胸口：「送給你，我要把祝福送給你，祝福你平安健康！」

「我也將祝福送給我的爸爸。」

「相信有我的祝福，你會變得很健康、很快樂。」

「耶，花瓣發亮了！」我們開心的歡呼著。

最後我們相視而笑，互相說著「女兒爸比我愛你」這類肉麻的話。

我知道這不會是最後一次談論此話題，因為人生本來就處處充滿難題。但是，這每一次對話都將化成一種祝福，陪伴著小蘇姑娘，開心的、勇敢的活出每一天的精采。

老ㄙㄨ小語

我們該著眼現在，

努力把每一天都活得精采，

更珍惜彼此相處的時光。

成長蛻變

提供安全依附

幫助每一個孩子成功，我們責無旁貸

臨睡前讀了幾本書，幾位出身於逆境的孩子臉龐一一浮現眼前。

一位是來自育幼院的孩子，因緣際會在營隊中與他相遇。雖然老師們試圖透過藝術學習，提升他對自我的認同，但這孩子總是做出許多不合宜、甚至衝撞團體規範的小動作。

其實看得出來，這孩子刻意引起他人注意。但對生活的不安全感，讓他把所有心思都放在讓自己開心的不恰當行為上，而不是聚焦在自我的學習。也因此老師們得經常嚴格糾正他的偏差行為，師生雙方都無法享受於有效學習的歷程中。

我也曾教過一位女孩，因為受不了父母離異的傷痛，以偷竊來釋放內心壓力，即便在眾目睽睽之下，她還是無法克制拿走他人物品的衝動；還有一天到晚蹺家的孩子，在金錢和毒品的誘惑中，最後偏離正軌，即便我用盡全力攔阻，仍無法阻止悲劇發生。

陪伴的重要

最近這些年，遇見許多新世代的孩子，他們的情緒常處於不穩定狀態，動輒拳頭相向，或是退縮成生活的冷漠者……這些孩子的內心都隱含著極大的生活壓力，以至於在校無法處於情緒安穩的狀態。

但是更探究背後的因素，不難發現他們在成長過程中，欠缺良好的親子互動，缺乏安全依附的連結。

現代家長都忙於工作，卻疏忽了陪伴的重要性。美國ＡＣＥ（負面童年經驗）研究指出，幼時孩童缺乏安全的依附，將導致諸多應發展出來的能力喪失，包括：孩子的心智能力、情緒、心理習慣、壓力調整，以及對外應對的能力；甚至會在成年後引發菸癮、肥胖、退縮、憂鬱、蛀牙或自殺傾向等危害健康的問題。而孩子承受惡劣環境的成長壓力，在入學後就會浮上枱面，壓力化為學習障礙，而學習落後更增加心理壓力，長久下來，就成為從學習中逃離的孩子。

我多麼渴望讓這些孩子的家長明白，此刻他們多花一些時間與孩子相處，就會深遠的影響孩子一輩子。只需幾個簡單的親子互動：面對面的遊戲、和緩的聲調、發球回擊式互動、微笑、溫暖的撫觸……就能深深滲透到孩子的心裡，對孩子管理壓力的能力，有著長遠正面的影響。

但身為一位教師，我更在乎的是，該如何為這些逆境出身的孩子，營造出有歸屬感、獨立性和成長性的教室環境呢？

《幫助每一個孩子成功》這本書中提到許多研究成果，不管是迪西和萊恩的內在動機理論：自主性、勝任感，以及關聯性；或是法林頓的學習堅持：我屬於這個求學圈子、我的能力和效能會因為努力而增加、我有辦法做到、這科目對我很重要……這些研究成果，不斷驗證著自己過往的教學信念：教師應建構出一個具歸屬感的師生交心關係，並持續輔以成長型思維，以強化孩子們在學習上的決心與品質。

此時我腦袋裡飛快的冒出許多想法：也許我還可以在教學上讓孩子們擁有更多選擇權，讓他們可以自主並自決學習進度；也許我應該多讓他們反思自己在學習上的成功，進行自我相關的後設認知；也許我應該多找些性格相關的影片或文章，來重建他們對自我的認同；也許我的課堂上，需要再多留些批判思考和解決複雜問題的機會，讓孩子們學會深度的學習……。

台灣正面臨少子化的風暴，每一位孩子，都是支撐未來社會的重要力量。因此幫助每一個孩子成功，我們責無旁貸。

老ㄙㄨ小語

我多麼渴望每位家長都能明白，
此刻多花一些時間與孩子相處，
祝福的，是孩子的一輩子。

肯定自我價值

內向孩子也能自信發光

前些日子，和人在加拿大留學的學生見面。孩子：「老師，我想請問您，如何讓自己變得更有自信？一直以來覺得自己很沒有自信，希望老師能給我一些建議。」

我回想起國小時，這孩子內向不多話，常用笑容掩飾內心的緊張與害羞。她比其他人更努力讀書，和小時候的我一樣，用乖巧又聽話的形象，來獲得他人讚賞的眼光。

孩子說，到了國外後，因為英語能力不足以及個性內向，讓原本功課名列前茅的她吃盡苦頭，即便用盡全力，仍無法獲得好成績。「努力，為何無法獲得好的結果？」她總是不停質問自己，容易自責的個性，讓她陷入好長一段時間的低潮。

這孩子真的和我好像。我的前半段人生，總是在過度逼迫自己、不斷在自責中過日子。孩子的發問無關於自信，自信只是表層的形象，如何尋求內在的勇氣，才是她最需要的。

我思考著，該用什麼方式讓她明白「放下自責的習慣，珍愛自己內在特質」的道理呢？

我說：「我不是一個有自信的人，甚至是極度內向、不善與人互動的人。但是近幾年來，對於『自信』這議題卻好有感觸。」

看見內向特質優點

「最近看了一部 TED 演講，談到『內向者的力量』。影片中提到：在社交能力和外向備受推崇的文化中，內向特質的人會遇到許多人際上的困擾。但事實上，內向特質的人具有外向特質者可能沒有的能力，例如專注、謹慎、聆聽、廣於接納他人意見……反而是十分珍貴的天賦。」

「我們很難想像，其實內向者的比例極高，每三人中有一人具有內向特質，例如你或我；甚至是個性外向者，也有某部分個性屬於內向特質。那麼大多數的我們，為何總是逼迫自己展現格格不入的性格呢？」

「當看完這影片後，我又去翻找更多關於內向的書籍，我深深被震撼著。回首成長之路，我極度討厭那個內向的自己，經常懊惱自己因彆扭個性而搞砸許多事情。」

「隨著年歲漸長，我發現讓我自在的環境，並不是喧譁的社交場合，而是較個人的獨處場域；我也發現在安靜的環境下，反而較能深思熟慮，激發出更大的創造力。」

「內向個性沒什麼不好，現在的我逐漸能接受這樣的自己。喜歡原來的自己，不急著討好他人，才有辦法身心安穩，釋放與生俱來的優勢潛能，進而展現出真正自信的樣貌。」

沒自信，都是為了別人心中的自己

初任教師那年，我去參加手語認證的課程。初級手語課程上完，接著上完中級手語課程時，全班學員異口同聲的說：「蘇老師，你是國小老師，你們老師最會講話了，就由你來當中級結訓的上台代表吧！」

結訓典禮的手語代表致詞，真是快整死我了，為此我整個人焦躁了好幾個禮拜。最後，我當然搞砸了，手語致詞過程中數度忘詞而中斷。下台後我懊惱不已，我才發現：其實我可以帶小抄，其實我可以一邊說話、一邊比手語……事後我用力的自責自己。

但多年後我才發現，其實根本沒有人在乎或記得這件事情，因為大家都忙著在乎自己。

從小，我就是一個自律甚嚴的人，我靠著更努力、更完美，來獲得別人的稱讚。說穿了，這是討好，我只是透過許多的讚美與肯定，來掩飾內在的自卑與缺乏自信。

專注於享受當下的歷程

在這幾年，我更清楚看到這種焦慮的源頭：「我好忙，忙著幫自己評分，忙著指責自己，忙著維持在別人心裡的美好形象，忙著掩藏內心的不安。」一旦想通了討好與自責這件事情之後，我突然就大解放了。這樣為了別人的眼光而活的日子，光想就覺得好累。

沒自信，只是結果。起因是害怕，害怕自己做不好而丟臉，害怕自己在別人心中幻滅了。但是，我們卻往往忘了別人根本就不在乎；也或是說，一直這麼沒自信，才會更讓人印象深刻，留下更差勁的形象。

更重要的是，還要再往前去追溯，去看到內心正在哭泣無助的小小自己。重現當時的情境，試著找出恐懼的原因。試著給他一個擁抱，告訴他：你已經很棒了，請別再這麼逼迫自己。並在後續的人生中，學習與他一起共同成長。

不為了別人心中的完美形象而活，並不等於自私、擺爛或自我放棄，而是更關注在：我在過程中有沒有盡情享受？有沒有因為我的認真與付出，帶給他人幸福感？有沒有先在內心好好的賞識、珍愛自己？

眼前的孩子忍不住點頭，我知道她懂得我要表達的意思。

我還記得內向的我，大學時參加了學校裡相當活躍的童軍團。更令人吃驚的是，我在大三那年當上了童軍團裡的活動長，有時個性內向的我，得上去帶一、兩百人的團康活動。

奇妙的是，在台上面對數百人的我，絲毫不會感到緊張或焦慮，反而自己玩得很開心。但一到台下，面對不認識的人或需要社交時，我又龜縮成一個格格不入的人。

現在我才明白，原來，在台上的我，是真心享受帶團康的快樂，連我自己都玩得很開心。我是真心希望台下的每個人，都能因為玩了這個團康遊戲，而臉上有著開心的神情，我為他們帶來了那瞬間的笑聲。

我才明白，那在當下，我根本忘了去焦慮要在他們心中留下完美的形象。我沒有在乎自己，我在乎的是歷程，以及這歷程所帶來的幸福感。

只要說給台下那位需要你的人聽

我又和孩子說了一個關於演講的故事。

一直以來，上台演講都帶給我極沉重的壓力。我常在演講前一個禮拜就會魂不守舍、前一天晚上像強迫症般修改簡報到三更半夜，晚上失眠、隔天拉肚子、演講時還會胃痛……這些生理上的不舒服感，讓我愈來愈抗拒來自四面八方的邀約。

幾年前，我前往一場校內週三研習進行分享。那場講座中，我盡所能分享最精采的內容，台下有許多老師不住點頭，表示感同深受。

但我也瞥見，少數老師臉上流露出不以為然的表情。那銳利的眼神，一直讓站在台上的我渾身不自在。結束後，一位女老師丟下一句：「蘇老師，和你分享一下，你實施的教學活動，我二十年前就做過了。」就飄離會場了。

我幾乎是飛車離開那所學校，那眼神成為壓倒多年來壓力的最後一根稻草。我在車裡吶喊：「我也很忙……要不是因為你們主任熱情邀約，我也不會來……我也不喜歡來這所學校……我實在很討厭這種感覺。」

「我以後，再也不要答應任何一場校內演講了！」我在心中做出這樣的決定。

但出乎意料的，在當天夜裡，我收到一封有史以來最長的聽眾回饋信。

那是一位年輕的女老師，她說，當天她是帶著受傷的心情坐在台下，我的分享讓她回想起當老師的初衷，她也想成為一位帶給學生影響力的老師。

幾個月後，我又收到另一位男老師的來信。當天他也坐在台下，聽完我的分享後，他更下定決心要當上老師。那段日子他努力準備考試，終於順利通過教師甄試，於是特地來感謝我帶給他考上正式老師的力量。

我從來沒有想過，在我感受最糟的一場演講中，竟然意外與兩位老師的生命交疊，進而影響了他們的人生，也影響了許多即將與他們相遇的孩子們。

我突然明白了，原來台下始終會有個人，正等著與我相遇。

我不用在乎所有人對我的評價，我只要對著台下需要我的人，好好的說話就行了。原來全心全意的看著他人、為他人的幸福感而努力時，會忘記焦慮，放下自責，也因為不再畏懼別人喜不喜歡自己，終於有辦法做一個身心自在的人。

現在的我仍稱不上有自信，仍然會在演講的前一天失眠、拉肚子、胃痛。但是在開場前，我會輕聲告訴自己：「沒關係，我知道台下有人正等著我，我只要真誠的說給他聽就行了。」

這樣就夠了。我會暫時放下怕自己表現不好的焦慮，用輕鬆的語調，把我想說的話，真誠的傳達給台下那位有緣人。在這樣心境轉換中，我感受到自己多了一些堅定，也多了一些所謂的自信。

所以，我親愛的孩子啊，請和我一起學著珍愛自己，放下自責的習慣，試著把眼光轉向利他的角度，你將會發現自己無所畏懼。因為為他人帶來幸福感的信念，將使你變得更強大！

老ㄙㄨ小語

請喜歡原來的自己，
不急著討好他人，
身心安穩的，
釋放與生俱來的優勢潛能，
進而展現出真正自信的樣貌。

擴大交友範圍

小圈圈外的世界，更加自由

小櫻說，她最近被班上的女生們排擠，同學們都說她有公主病、難相處。她不清楚為什麼會這樣，她說，她內心有傷痛一直無法癒合。

我一直知道，小櫻臉上那陽光般的笑容都是裝出來的。我一直想找時間和班上孩子們聊聊小櫻。

今早就看到小琪一臉怒氣，後來又見小櫻急著想找我，並且塞給我一張小琪在怒火中燒時寫給小櫻的紙條。

我把小琪找來，接納了她的情緒。她在我面前哭了許久，她覺得委屈，她覺得她願意在女生群中接納小櫻，但小櫻今日的行為完全激怒了她……。

等小琪平靜下來，我和她說了一個故事：

「從前，有一位女孩，她生長在一個幸福的家庭裡，她有愛她的爸爸、媽媽和弟弟。爸爸的工作穩定，媽媽則是銀行行員，女孩說她常去媽媽工作的銀行玩，那裡有好多阿姨對她很好、會照顧她。女孩覺得自己是世界上最幸福的人。」

「但兩年前某天，媽媽突然生病了，就在非常短的時間內，媽媽離開了人世。這突如其來的噩耗，讓全家人都無法接受。爸爸悵然若失，家裡頓失依靠，經濟也出現狀況。女孩得扮演小媽媽的角色，扛起一家的家務，打掃、買菜、整理家裡，女孩從備受呵護的角色，一夕之間被迫長大。」

「女孩說她很孤單，全家裡只有她一位女生，以前那個會照顧她、陪著她、教她道理的媽媽，再也看不到了。」

「也因此小櫻變成很孤單的女孩，成為家中唯一的女性，女孩得肩負家中大大小小的家務。爸爸將悲傷收起，埋身於工作之中，弟弟也成天哭泣，弄得她心煩。她總是將自己封閉起來，在網路上遊盪，這樣她就不容易想起媽媽離開的事實。」

「她總是臉上掛著笑容，害怕同學不喜歡她。但她又極度的沒有安全感，因此只要有人對她好，她便緊抓著不放，這種窒息感惹得同學好怕她……。」

我故事還沒說完，小琪睜大眼睛看著我，說她知道該怎麼做了。我想接下來，應該會有一對姐妹淘，會敞開心胸好好聊一聊。

我也會再找時間和小櫻與班上女孩們一起聊聊，希望兩方都能得到一些和解與修復。這班孩子讓我深刻感受到，很多時候，孩子的行為只是表層，那內在的自卑、沒有安全感，才是我們需要好好療癒的部分。

快樂的人生，在於擁有很多位好友

這班的女孩們心思特別細膩，因此人際關係議題總是使她們心情低落。有時候到了午休時間，就會有女孩來詢問：「老師，中午有空嗎？我們想跟您聊聊。」我桌前就會出現兩、三位女生向我訴苦，我都笑稱我的座位區根本就是告解室！

聽來聽去，其實還是老問題：彼此說著對方的不是，但另一組人明明前幾天也才來告狀過；常常陷入吃醋、爭奪好友的戰爭，或經常有彼此決裂、中傷他人的衝突發生……。

說穿了，就是交友圈不夠廣，只想待在強連結的舒適小圈圈裡，每個小圈圈又彼此針鋒相對。

在最近幾次諮商裡，我平靜的為女孩們指出：「其實世界上，根本沒有『最好的朋友』，因為你覺得她是最好的朋友，但她並不這樣覺得，或不甘心只成為你最好的朋友。因此這種失落，只會讓你自己痛苦不已。」

女孩們詫異的看著我。我繼續說：「真的毋須去在乎誰是你『最好的朋友』。快樂的人生，不在於找到『最好的朋友』，而是擁有很多位的『好朋友』。」

女孩們似懂非懂的點著頭。

但是，慢慢的，一段時間下來，這樣的道理在她們心中醞釀、發酵著。女孩們開始踏出她們的小圈圈，去結交不同的新朋友，開始感受到有很多位好朋友所帶來的快樂。

我驚訝的讀到曾因此受苦的女孩們，娓娓道來這段心路歷程：

「以前的我總是覺得有『最好的朋友』真好，因為沒人跟我搶，我們又可以互相幫助。可是升上六年級後，我才真正明白交到『最好的朋友』其實沒有很好，因為相處久了，會發現她身上有很多缺點，而且自己的人際關係沒有擴大，無法接觸到不同類型的同學，甚至還會跟最好的朋友吵架。所以，有很多位的『好朋友』，才是最棒的選擇，可以擴大人際關係，學習他人優點，不會有好友被搶來搶去的困擾。這是我親身經驗的學習，這幾天，我收到別班想和我當朋友的訊息，我心裡超開心的，因為我又擴大人際關係了。」

「以前的我，只會把好友抓得很緊、只會講別人的壞話，但我發現這種生活讓我好痛苦。所以在暑假時我想通了，我可以去找其他的同學玩。多次嘗試後，我交到了新的朋友，而且自己變得好快樂、好開心，再也不用因為和別人搶好友而感到痛苦。現在我終於可以放下這種糾結，因為我不再約束我自己了。」

也看到好人緣的女孩小琪，正幫助好友小櫻走出自己的小圈圈：「老師在黑板上寫關於『好朋友』的本日箴言，讓我最近決心執行一項任務，就是幫小櫻擴大交友圈，我怎麼做呢？幫她介紹好友，並且把她帶去其他朋友那邊。因為她是一位沒玩伴的孩子，下課總是窩在我身邊，所以我必須堅持下去。」

更看到女孩們逐漸走出自己的象牙塔，而把整個班級視為更大的共同體，為了這個共同體的幸福而努力著：「老師，在上星期五換座位時，我發現大家變得更加合作了，大家會互相詢問『要不要來我們這組』，而不是只想跟自己喜歡的好友同一組，卻讓一些人受到冷落和排擠。被冷落的那些人，想必都很不開心。但是，在這次分組過程中，我感到很開心，因為沒有人被忽略。老師也覺得很開心吧！因為大家開始合作了，希望班上永遠都這樣合作下去。」

女孩們的一字一句，訴說著一段又一段青澀、但日後回憶感十足的蛻變。走過這一段，相信女孩們內心會更加豐盈，也更加具備同理心。

交友的玄學，真的是女孩們一輩子的課題。希望女孩們能早早參透這門學問，早日尋得快樂的人生！

老ㄙㄨ小語

很多時候，

孩子的行為只是表層，

那內在的自卑、沒有安全感，

才是我們需要好好療癒的部分。

彼此以心相交

愛與連結的故事

前一個班畢業後，原以為自己已經修行圓滿。沒想到新的一班更是精采，有太多學生是我帶班二十多年來從未交手過的類型，簡直就是搜集神奇寶貝的概念。

最特殊的是，這班上有著闖禍四人組，好幾位是從中年級就同班至今。在我留職停薪半年、重新帶這班後，發現他們更變本加厲，舉凡在外遊盪、打架滋事、霸凌他人、得罪所有任課老師等，挑戰教室與學校一切的規範與秩序。

每天我宛如在火藥庫裡工作，若制止他們的脫序行為，男孩們會亂發脾氣、大聲強辯、踢桌子、甩門，甚至對我飆罵三字經；只要闖禍，他們就會強辭奪理、彼此互罩對方。好不容易才收服其中一位，但只要聽到其他幾人在一旁冷笑，男孩又會立即打回原形，前功盡棄。

帶這個班級，我深刻感受到「對立反抗症」的強大破壞力。有一段時間，我幾乎快得憂鬱症。

他們的爸媽也不是不管，每回來學校總是氣急敗壞的責罵小孩，再三說著「老師，對不起」，在我面前傷心落淚。我提醒家長，男孩們的內心充滿憤怒、常被比較、感受到偏心和孤單……因此總是衝撞著體制與規範，弄得彼此遍體鱗傷。

每天處理這些隨時引爆的情緒，讓我精神能量耗弱。我開始質疑過去自己所寫的書，連我都快不認得自己了。

但我就是無法放手，每天都在找方法，在事情發生的當下，深呼吸，試著用更貼近孩子需求的方式來處理。我用盡全力，等待花開的日子到來。

不過，奇妙的是，當時間軸一拉長，我確實看見這些孩子的轉變，在畢業前夕，整個班級氛圍變得不同，彼此之間更加包容而有愛。即便每天仍然闖禍不斷，但感受到男孩們對我的敵意消失了，不會直接嗆老師，會自己避免衝突發生，多了一些盡量不為難彼此的心意。

畢業典禮那天，我們彼此擁抱，互道珍重再見，這幾個孩子哭倒在我懷裡，而我也在台上淚如雨下，過往那些咆哮、嘶吼、不甘心、不放棄、歡呼、相視而笑……的一幕幕，如同電影般快速流轉在眼前。

回首過往兩年，我能深刻感受，原來一個老師帶不容易的班級，是如此無助。但同時，我也體會到「力量，永遠是來自於自己的內心」這句話，感覺一股新的力量在心裡悄然滋長。

面對這屆如此獨特的孩子，讓我變得心性堅強，更有包容和同理心。同時，也讓我更清楚的體證：原來與孩子溫柔而堅定的交心、用同理心來帶領學生，雖然辛苦，得繞好大一圈，需要好多時間的投入，但撥開雲霧，總會看見彼此的真心。而這才是一條正確的道路。

小不點的情緒風暴

一早走進教室，就看小不點遮遮掩掩的抄著昨天的聯絡簿，昨天回家前他肯定沒抄回家作業項目。

我走近一看，小不點忙著跟我解釋說他只是想重抄，態度超堅定。但聯絡簿上頭沒有擦掉的痕跡，也沒有重新謄寫的字跡。

我心裡嘆了一口氣，什麼話都沒說。

早修打掃時間，也沒見小不點到外掃區打掃，回到教室只見他坐在自己的座位上吃早餐……批改作業時，又發現小不點昨天回家後只應付又潦草的寫了五句短文，其他作業完全沒寫……而因前一天放學偷溜又沒排路隊，座號還登記在黑板上還沒處理呢！

於是把小不點喚來，我話都還沒問兩句，他就滿臉的不高興。

和他交手一學期，我太了解這表情了。只要一犯錯，第一時間他就用生氣的情緒來應對。若多說他幾句，他就會故意在我面前不高興的碎唸；我若請他停止，他會用更難聽的咒罵來回應。

一個學期下來，我從他身上得到許多寶貴的經驗，那就是不要跟他硬碰硬，也不要當下處罰他或隔離他，就請他坐在我身旁的「平靜椅」上就好。在他處理好他自己情緒前，都先不跟他有任何互動。

小不點先是在平靜椅上坐成一個「大」字，凸顯他的憤怒。請他把腳收進去，免得跘倒他人，他又躺臥在椅子上；請他坐好，他又故意和旁邊的人大聲講話，表達他的不滿情緒。

我還是沒回應他，繼續和全班玩抽獎活動，大家笑倒東全西歪的笑聲，引得他好奇探頭；而上國語課的小組討論，還有數學課讓大家拿出小白板算數學題，都惹得他心癢癢的。

我發現他偷偷溜回自己座位，拿走該補寫的作業。又拿出自己的小平板，開始補線上作業。臉上不再有張牙舞爪的憤怒，而是想把事補救好的謹慎表情。

下課時，他走過來身邊，說：「老師我作業都補好了。」

「你心情好了嗎？不生氣了嗎？」

小不點說：「我早就不生氣了。」

我說：「但我有因為你受到影響，我一早的心情不太美麗。」我手放在胸前說：「這裡，心，受傷了。」

「那我派杯麵來醫它。」他假裝拿出一把槍，在我胸前比畫：「滴滴滴，嗶嗶嗶，晶片放進去，好了，杯麵醫好它了。」

此刻我真是狂笑到不行，因為我懂他的梗，我可是有認真陪女兒看《大英雄天團》的好爸爸啊！

我說：「好吧，老師心情又變美麗了。但是，老師不喜歡學生明明知道應該做什麼卻不去做，或是明明做了什麼卻假裝沒做。開學了，請自己要求自己，把該做的本分完成，好嗎？」

「好哦！」小不點爽朗的回答。

其實，他真的就只是個孩子而已。

他就是一位標準的安親班小孩，爸媽無心關注孩子的學習，功課全都丟給安親班煩心；只要孩子犯錯，就用狂暴情緒來打罵教育；而整天被學習行程塞得滿滿的，因此只要一逮到時間，就在學校瘋狂玩樂，什麼都不在乎……所以這孩子才會都用草率負面的學習態度和極大的情緒，來應對他人。

有時候看著這孩子，心裡也是疼著的。太多錯亂的價值觀，導致他的世界只有玩樂、只有憤怒的情緒，但我的確有看到那潛在單純良善的一面。

孩子，謝謝你教會我要如何教導像你這樣的孩子。希望在所剩不多的時間裡，也能教會你用美麗的心境，好好的觀看這世界。

聰明又冷漠的冰山男孩

放學後，從課後托育班把冰山男孩拎來聊一聊。

主因是冰山男孩的媽媽電話連絡我，提到課後托育班老師前一天跟爸爸告狀男孩的表現，課後托育班老師的措詞，讓媽媽有些介意。

課後托育班老師激動的向我投訴男孩影響全班的常規秩序，造成她極大的困擾。我說我都懂，因為他在教室裡就是如此。

當我說：「你每天只有見到他兩小時，但我整天八小時都要面對這些脫序行為。而且，教室裡不是只有一個他，而是同時有四位男孩在發作⋯⋯」話都還沒說完，我看到安親班老師眼中深深的同情。

其實在和家長或課後托育班老師溝通時，我們誰也沒有在埋怨誰，我們三方都是為了男孩好，也對男孩隨時脫序的行為感到頭痛。但是，這中間最需要解決的，應該是男孩面對他人的態度問題。

這男孩大概是我教過最極品的學生。

他成績之好，總是考全班第一，但他總是對任何事情擺出冷漠、草率、抗拒的態度。成天只想和同伴玩樂，經常有捉弄同學、打架的狀況出現。不想遵守任何規範，上課中任意離開座位、大聲隔空講話的干擾行為，總是在每節課中不斷上演。但提醒他幾句，就直喊「我沒有」、「為什麼又是我」的強辯，接著就鬧情緒、滿臉不悅。

從課後托育班被我拎回教室的路上，男孩還是抗拒、不以為然的表情，一直說著「厚」、「為什麼」、「我不想去」、「我又沒做什麼」、「為什麼要去」……於是我也一直回應著「只是想和你聊聊天」、「不要說厚」、「不要一直說為什麼」、「用正向語氣回答」、「說好就好」……終於他跟著我回到教室。

在教室外的走廊上，男孩子不停左顧右盼，全身扭動，問什麼都說「不知道」、「忘記了」。於是從情緒接納下手，「你緊張嗎？焦慮嗎？生氣嗎？」問了老半天，他還是懶洋洋的不想回答。

呃，我還是做我擅長的部分就好。我開玩笑的說：「難不成你也有過動？不然你怎麼一直在我旁邊扭動？還一直在做體操？」四人死黨裡的確有幾位過動生，聽到這句話後，他不好意思的笑了，整個人定住不敢動。

我說：「那麼能不能聽我說幾句話？此刻我很真誠的在和你說話。即使最近你做了不少令人生氣的事，但我還是想和你好好說話。就像在和你媽媽通電話時，我也是很真誠的讚美你，不帶情緒、客觀的陳述事實。所以，你也能很平靜、不帶情緒的聽我說話嗎？」

孩子整個人的反應和表情柔和許多。

於是我提到學校安親班的規定，提到了雙薪家庭爸媽的為難，提到了我看到課後托育班老師的用心，我問：「你怎麼會把自己變成課後托育班裡最頭痛的魔王等級學生呢？」

「你不該是如此，也不可以是如此。」我說。

接著我提到他缺乏挑戰、覺得無聊的生活，於是我大膽向他建議，放學後這段時間，就回來教室裡寫功課吧！我會刻意晚點下班，他可以在教室裡做線上平台的習題，我也會給他一些動腦筋的挑戰任務。

「還是，你要去課後托育班坐著發呆睡覺，去和你口中『很機車的老師』大眼瞪小眼？或是要寫媽媽即將買給你的『寫不完的評量』？」

「如果你能做到不在教室裡嬉戲、胡鬧，不在教室與課後托育班間的路上神隱，就來吧！教室裡很熱鬧的，還可以和同學一起吃吃喝喝好開心。」

我確實知道男孩心裡很想回來教室，所以我才不管他那彆扭的行為和言語，便趕他上樓去課後托育班拿書包。

過了好久，他還是沒回來。才發現他早躲在教室外的走廊，躺成一個大字型。

我呼喚他進教室，先故作強勢的讓他坐下來，收掉他誇張的言行舉止，他倒也能安靜的坐在座位上開始寫功課。

讓他先寫下星期一的訂正作業，有「第一時間寫完作業強迫症」的他樂得開心。接著我和其他同學在教室裡吃著好吃點心，他也默默收下。我教著學生數學時，我特地請他去教他的好麻吉。在和他說話時，言談中我說話故意更加耍寶、更江湖味，他也露出難得的笑容。

後來好一段時間，他都靜靜的坐在座位完成功課，專注到不行。我想他有感受到這教室裡不一樣的歡樂氣氛，這裡可以是他安心學習的場所。

我望著這背影，心裡感嘆著。我相信我們之間還是有信任存在，否則他不會回來。我相信他冷漠抗拒的表層的底下，其實也有著自責，有著需要被愛的渴求。

沒關係，就一個一個來擊破吧！放學後這段時間的戰力，都偷偷留給你一人，我們來創造一段關於「小王子與狐狸」的故事。

我的火山男孩

不知是在我身旁的乖乖椅坐久了，火山男孩和我之間似乎有了某種默契。

有時我會請他幫個小忙，他便會爽快的起身去幫忙；有時他上課多話、貪玩戲弄他人，我制止他，他倒沒情緒上來，只說了聲「好啦」，就安靜的做事。

有時我會偷塞給他一包餅乾，或塞一口甜點在他嘴裡，或泡杯飲品偷偷和他分享，他神情自若的收下；有時他學不會，實在看不下去，我說：「來啦，我教你。」他也默默的聽；有時面對他脫序行為，我只能苦笑，而他則發出不好意思的冷笑。

有一天，他從教室外一副氣炸了的模樣走回座位，我拍拍他的肩膀，他兩行清淚就流下，我們什麼話也沒說。

很難想像，還在前不久，我們之間常發生激烈的衝突，我制止他一些偏差行為，他不客氣的回嗆。

那天，我刻意將他留下來談心，也不管他願不願意聽，我一股腦的和他說了我的心裡到底在想什麼、我是怎麼看著他們內心的憤怒和傷痛、我是如何向他們的爸媽求情和溝通、我看到他是如此的自卑又渴求愛……整整一小時，我們談到彼此眼眶裡數度都是淚水。

我告訴火山男孩：「我不清楚那滿滿的憤怒來自何方，但老師好想愛著你這位學生，所以你也無須再對立反抗了，可以讓老師好好愛你嗎？」

自從那天之後，我們師生之間，開始出現微妙的變化。師生關係和之前相比，已是天壤之別。

今早升旗時，我站在他身邊，隨口問了一句：「未來還想打球嗎？」於是男孩和我說了好多關於未來的規畫，他想直升體育班，也許必須住校，假日才能回家。我靜靜的聽，有時給他一些意見。我們就站在操場上聊了好久，這是我們第一次長談，長到我們彼此都感到訝異。

我聽得出來他內心隱藏的擔憂。一位大家都嫌皮的小孩，連自己的內心都不喜歡自己，於是早早做了這樣的決定。但他也聽得出來我話裡的心疼，逞強的說他想去接受挑戰。

畢竟只是個孩子啊！態度軟化後的他，就是個渴求賞識、渴望關愛的孩子啊！

帶這班的一年多來，我嚴重懷疑自己的帶班能力，我不懂怎麼用什麼方法都失靈？但是現在再回首看，才明白，交心哪來這麼容易？沒有日復一日的相處，沒有一次又一次的衝突，心哪能真正的連結？

我的前一本定名為《交心》，起初覺得這書名不太討喜，但日子久了，卻發現主編真有智慧，「交心」這二字，道盡與孩子相處的真諦。教書日子愈久，愈感受到這兩字的力量。

因為有心，所以交集在一起。

因為交心，所以放下了心中的偏執。

也因為交出真心，所以才會衍生後續無數動人精采的故事。

我一向很喜歡《小王子》書裡的一段文字，狐狸對小王子說：

「對我來說，你只不過是個小孩，跟其他成千成萬的小孩沒有分別，我不需要你，你也一樣不需要我。我對於你也只不過是一隻狐狸，跟成千成萬其他的狐狸一模一樣。但是，假如你馴養我，我們就彼此互相需要。你對於我將是世界上唯一的，我對於你也將是世界上唯一的。當你馴養了我，那些金黃色的小麥，將使我想起你。而我將喜歡聽吹過麥田的風聲。」

此刻，我們猶如站在金黃色的麥田裡，空氣中有微風、有迷人的田野香氣，而我和男孩，一同靜靜的品嘗這靜謐的時光。

老ㄙㄨ小語

與孩子溫柔而堅定的交心，
用同理心來帶領學生，
雖然辛苦，
得繞好大一圈，
需要好多時間的投入，
但撥開雲霧，
總會看見彼此的真心。

老蘇老師的同理心身教 / 蘇明進著. -- 第一版. -- 臺北市 : 親子天下, 2021.03
312面 ;14.8x21公分. -- (學習與教育 ; 220)
ISBN 978-957-503-971-4 (平裝)

1. 同理心

541.76　　110003663

學習與教育220

老蘇老師的
同理心身教

作者／蘇明進
責任編輯／林胤孝
編輯協力／陳瑩慈
校對／魏秋綢
封面設計／Ancy Pi
行銷企劃／林靈姝

發行人／殷允芃
創辦人兼執行長／何琦瑜
總經理／游玉雪
總監／李佩芬
副總監／陳珮雯
特約副總監／盧宜穗
資深編輯／陳瑩慈
資深企劃編輯／楊逸竹
企劃編輯／林胤孝、蔡川惠
版權專員／何晨瑋、黃微真

出版者／親子天下股份有限公司
地址／台北市104建國北路一段96號4樓
電話／（02）2509-2800　傳真／（02）2509-2462
網址／ www.parenting.com.tw
讀者服務專線／（02）2662-0332　週一～週五：09:00~17:30
讀者服務傳真／（02）2662-6048
客服信箱／ bill@cw.com.tw
法律顧問／台英國際商務法律事務所 ・ 羅明通律師
內頁排版／立全電腦印前排版有限公司
製版印刷／中原造像股份有限公司
總經銷／大和圖書有限公司　電話：（02）8990-2588

出版日期／ 2021年03月第一版
定　價／ 380元
書　號／ BKEE0220P
ISBN ／ 978-957-503-971-4（平裝）